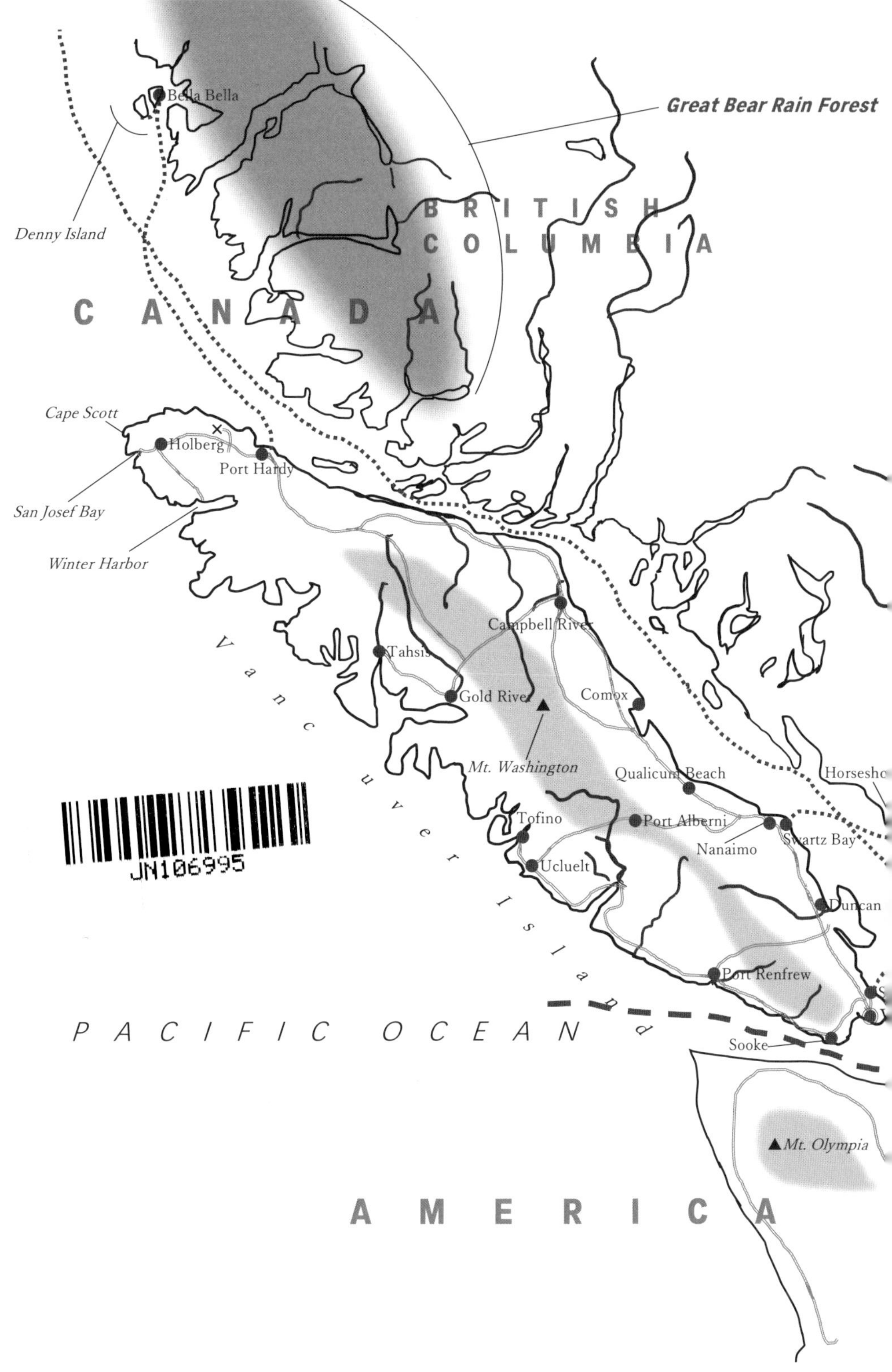
Bella Bella
Great Bear Rain Forest
BRITISH COLUMBIA
Denny Island
CANADA
Cape Scott
Holberg
Port Hardy
San Josef Bay
Winter Harbor
Campbell River
Tahsis
Gold River
Comox
Vancouver Island
Mt. Washington
Qualicum Beach
Tofino
Port Alberni
Nanaimo
Swartz Bay
Ucluelt
Duncan
Port Renfrew
PACIFIC OCEAN
Sooke
Mt. Olympia
AMERICA

陸と水とのせめぎ合いが延々と続いた果てに、道は北極海に達した。

フランク安田の交易所。下と比べると、この十余年でどれだけ風化が進んだかがよく分かる。

2008年当時の交易所

入り口横の案内表示。これを書いた人も「歴史の闇に埋もれさせてはいけない」と考えていたのだろう。

80年近い歳月を経て、ダッチハーバーの入り江奥に静かに身を横たえるゼロ戦に攻撃された船。今はペアの白頭鷲の棲処になっているようだ（上の白点２つ）。

アラスカの道は、アラスカに生きた人々の歴史そのものだ。アラスカの雄大な自然に果敢に挑戦した人々の血と汗と涙と勇気の結晶である。

チョウノスケソウの大群落。縦縞もあれば横縞もあり、カーブもあればユラユラもある。自然の中に幾何学模様を発見し、その謎を探るのは興味が尽きない。

アラスカが「さようなら」を言っているようにも「また来いよ」と誘っているようにも感じられる。もし行けるものなら、冬のアラスカを体験してみたいが。

リタイア、そしてアラスカ

井上　きよし

文芸社

「リタイア、そしてアラスカ」目次

〔カナダ編〕

〔アラスカ編〕

最後まで私の背中を押してくれた母、そして快く送り出してくれた妻に本書を捧げる。

〔カナダ編〕

■旅程①（カナダ編）

2018.7.10	東京→バンクーバー→ビクトリア
7.18	エド＆キャリアナ家での生活始まる
7.20	初めての早朝散歩
7.23	SSLCで初めての授業（ESLクラス）
8.12	アレンとクルージング
8.24～27	カナディアンロッキーマウンテンツアー
8.29～9.3	メインランドへの旅（運転訓練兼ねる）
9.4	SSLC新学期スタート（ESLクラス）
9月～10月	バンクーバー島中部への旅（3回）
10.22	バーニー先生のIELTSクラスに移る
12.6～23	カナダ東部～アメリカへの旅

《12.24～2019.4.10　日本へ一時帰国》

⑴ 40年ぶりの授業

Kiyoshi studied eagerly while he showed us anything can be started at anytime of our lives.（キヨシは勉強頑張っただけじゃなく、「人生、どんなことでもいつからだって始められるんだ」ってことを皆に教えてくれたんだよ）

中途半端な英語をなんとかしたいと、三〇年続けた塾をたたんで海を渡り、カナダ・ブリティッシュ コロンビア州ビクトリアで、たまたま行き当たった英会話学校スプロット・ショー・ランゲージ・カレッジ（Sprott Shaw Language College 略してＳＳＬＣ）の扉を私は叩いた。二〇一八年七月、リタイアして間もない六六歳。爽やかな夏空をバックにカモメが飛び交い、街にはサッカーワールドカップ中継の音が溢れていた。

次の日から、早速授業が始まった。一時間目は発音の授業だった。生徒は二〇人くらいで、男の子はほとんどいない。ガヤガヤと、やたら騒がしい。席は好きなところへ勝手に座る。背の高い女の先生が入ってきたが、目の前のピンク髪の女の子は、授業の説明が始まってもジュースを飲んだりスナック菓子をポリポリしたりしている。そしてニコッと笑って私にも勧めてくるが、こちらもニコッと笑って、でも、一応、No, thank you. と返した。授業中の飲食は自由と聞いていたけれど、こういうことなんだな。ピンク髪は相変わらず口をもぐもぐさせている。こちらは礼儀とかけじめとかいうのが頭をよぎるが、この「隔たり」こそが文化、習慣の違いということか。カルチャーショックと言ったら大袈裟過ぎるけれど、まさに異文化体験。どっちが正しいとかいうことではなく、「違う」こと自体がとても新鮮で興味深い。

先生の話を聞くよりも、生徒たちの様子を見る方が面白いくらいだ。クラスに日本人はいないみたいだ。一見日本人と見えたのは韓国や台湾からの子たちで、おしゃべりの声が日本語でない。中米や南米系、西アジア系が多いみたいで、メキシコ、コロンビア、ブラジル、サウジアラビアなどからの留学生であることが後で分かった。年齢は二〇歳前後か。ちょっと前まで私が教えてきた塾の子供たちと大差無い。三〇歳を超してそうな生徒はいない。皆、一様に明るく元気だが、外見、言葉、そして勉強に対する姿勢がバラバラで、この統一感の無さがまた面白い。教室では英語以外は一応禁止されているようだ。

母国語のスペイン語でいつまでもおしゃべりを止めないメキシカンをEnglish, please!

と先生が一喝し、教室がシーンとなる。ニコリともせずに、先生が授業の説明を続ける。おっかねーより、中級レベルでこの速さ、に焦る。何を言ってるのかさっぱり分からない、と思う間もなくニカッと笑って、先生が私の方を見るじゃないか。どうも「オイデ、オイデ」をしているみたいだ。流れと状況から考えて、私に自己紹介をさせようとしているのではないか。一週間ほど前にビクトリアに着いたばかりで自己紹介なんてできるわけないと思うが、こちらの人は「できないから、やらないと」と考えるのか。いくら尻込みしたところで、教室全体が「自己紹介するの当たり前」の雰囲気で、メキシコ娘たちもおしゃべりを止めて、今は私を見ている。観念して、私は教壇に進み出た。

日本ならさしずめ先生がリードして新入生から言葉を引き出し、「皆さん、よろしくね」みたいにサポートするというのが普通だろうが、こちらは違う。私がホワイトボードの前に立つ。先生も生徒もじっと私を見て、何を言い出すか待っている……。受動的な態度は通用しない。自分から何かを発しないといけない。でも不思議なもので、ホワイトボードを背にして生徒たちの前に立つと、塾で授業をやっていた時の感じが戻ってきた。

My name is Kiyoshi Inoue and came here from Japan just only a week ago. I'm now sixty-six, the oldest in this school, maybe. My purpose of visiting here …

かなりいい加減な発音だし中学レベルの単語ばかりだけれど、言葉がなんとか上手く続いて出てくる。私が教えてきた高校入試用の受験英語、それがある程度は役に立つじゃないかと、ちょっと嬉しくなる。

誰かが手を挙げてなにやら質問してきた。余計なことを……と思いつつ、答えを考えるふりをする、実は質問がよく聞き取れなかったのだが。察してかどうかは分からないが、先生がゆっくりめの聞き取りやすい英語で、質問を繰り返してくれた。

What is your favorite?（好きなものは何ですか）

ふーむ。そう言われても、色々あり過ぎて迷う。簡単な英語で答えられるのにした方がよさそうだが、

My favorite is … well … well … well …

教室中の色とりどりのつぶらな瞳が、本日突如現れた、先生より余程年がいっている私をじっと見つめている。おう、これだ。これで行こう。

My favorite is young pretty girl!

教室が一瞬静まり、その後、大爆笑。正しくはaを付けるなりgirlsとすべきだったかなんてどうでもいいことが頭の中を回っていたけれど、自分でも言いながら可笑しくなっ

SSLC のハロウィンパーティー。みんな元気にしてるかなあ。

て笑いを抑えられなくなってしまった。

世界各国から集まった若者たちに交じっての英語の再挑戦である。年齢は気にすまい。若い奴らに負けても構やしない。なんのアドバンテージも無しに、さあ、気合いで頑張るぞ。私の、実に四〇年ぶりの、生徒としての勉強はこうしてスタートした。

(2) 英語に決着をつけたい

母親が元気だった頃、よくこんなことを言っていた。「昔はお金がなかったから、お前を留学させることができなかった。でも、今からだって遅くない。もし外に出るチャンスがあったら、是非そうしなさい。英語の勉強だけでなく、外の世界から、この慎ましくも狭々しい日本、自信を失った日本を見詰め直して来なさい」。

母親があの世へ去った後には、私が留学するのに丁度いい額だけのお金が残されていた。「外へ出ろ」と母親が背中を押している、私はそう受け止めた。まずは英語。長年の付き合いのお陰で少しは話せるようになったけれど、決してそれ以上にはならない英語に決着をつける。そして外の世界に身を置いて、日本を、自分自身を、これから進むべき道を考えることを決意した。

実は、英語にはトラウマのような忘れられない出来事が二つある。

今から半世紀前。中学一年の秋、英語を習い始めて半年ほど経った頃だったと思う。最初は辞書のｈとｎを見間違えたりしたけれど、イギリス帰りのお洒落なＭ先生のおかげで英語がだんだん好きになった。それではちょいと英語でガイジンと話してみるかって軽いノリで、放課後、尻込みする友達を無理に誘って制服のまんま自転車で一時間、調布の米軍キャンプに行ってみた。

米軍キャンプのフェンスの向こうでは、アメリカ人の子供たちがバスケットボールをやっている。当時の日本の子供にとって人気のスポーツと言えば野球か相撲という時代、バスケットボールを間近で見るのはこの時が初めてであった。服装も向こうはＧパンにマドラス柄のシャツだったと思うが、それをズボンにたくし込まずにシャツアウトに決めている。こちらは真っ黒な学生服。どういう風に声をかければいいんだろう。Ｍ先生に相談しとけばよかった。ハローでいいんだろうか。ハイとかヘイかなぁ。喉元まで上がってきている最初の英語の一言が出そうで出ない。その代わり、一般の日本人がアメリカ人に話しかけていいのかとか、シカトされたらどうしようとか、どうでもいいことが頭に浮かぶ。もう一度声を出そうとする。でも、出ない。ここまで来て何を迷ってるんだ。ちょいと声をかけるだけじゃないか。大袈裟に考える必要なんて無い、そんなの、分かってるんだけれど。「よしっ！」と深呼吸してみる。でも、出ない、出ない。もとより傍観者的立場の友達が怪訝な顔でこっちを見ている。でも、出ない、やっぱり、出ない。どうしても、出ない。要はビビってるんだろ……。「気持ちが折れる」とはまさにこのことだ。結局、何もできなかった。何もしゃべれなかった。黙って自転車を漕いですごすご帰宅した。それにしても、あの米軍キャンプのフェンスは高かったな。

もう一つは、私が個人で経営していた塾、トライという名前だけれど、テレビに出てくる「家庭教師の〇〇〇」とは無関係で私の塾の方が先にできたのだが、その小さな塾をやっていた頃の話だ。教え子がドイツからの友達を何人か連れて来たので、私は塾の方針やら指導内容、なぜ日本には「塾」があるかなどを、怪しい発音ながら中学レベルの単語で説明した。とりあえずはなんとかなったか。塾生たちはオーッという顔でこちらを眺めている。しかし、ホッとしたのも束の間、ドイツ娘がなにやら言った。なんだ、こりゃ。質問らしいのは分かる。でも、ドイツ語訛りのせいが少しはあったかもしれないが、全然聞き取れない。二、三回聞き直してもチンプンカンプン。塾の子供たちは「面白くなったぞ」の表情でこちらのやりとりを眺めている。今更後には引けず、かといって前にも進めない。質問内容を適当に想像して返答した、質問がこれ以上出ないのを願って。私は常々授業で「英語は役に立つ勉強だよ。日本語では友達は一億人くらいしかできないけど、英語だと三〇億人できるんだよ」などと、訳の分かったような分からないようなことを偉そうに言っていた。自らの努力不足が情けないし悔しい。

社会人になって以降、難関国立・私立受験の会社で一〇年、独立して自分が経営する塾で三〇年、かれこれ四〇年近くの間、私は英語に関わる仕事をしてきた。その間、知的パズルとしての英文法の面白さを知ったり、都立入試の英語を攻略する独自の指導で生徒を引っ張り上げるのにやりがいを感じたりもした。しかし、それらはあくまでも受験英語であり、ガイコクジンとペラペラやり合う日常英会話とは対局のものだ。「受験のために人に教える英語」ではなく、「自分の世界を広げる英語」に挑戦したい気持ちは、心の底でずっとくすぶり続けていたと思う。少子化の影響が塾の経営にボディブローのように効き始め、と同時に、「残された人生を如何に生きるか」の答えをこれ以上先延ばしにしていると後悔すると気づいた。

私は思いきって塾を閉じ、母親の残したお金をポケットにねじ込み、まずは英語、付き合いばかり長い割に一向に向上しない我が英語に決着をつけるために、海を渡ることを決めた。

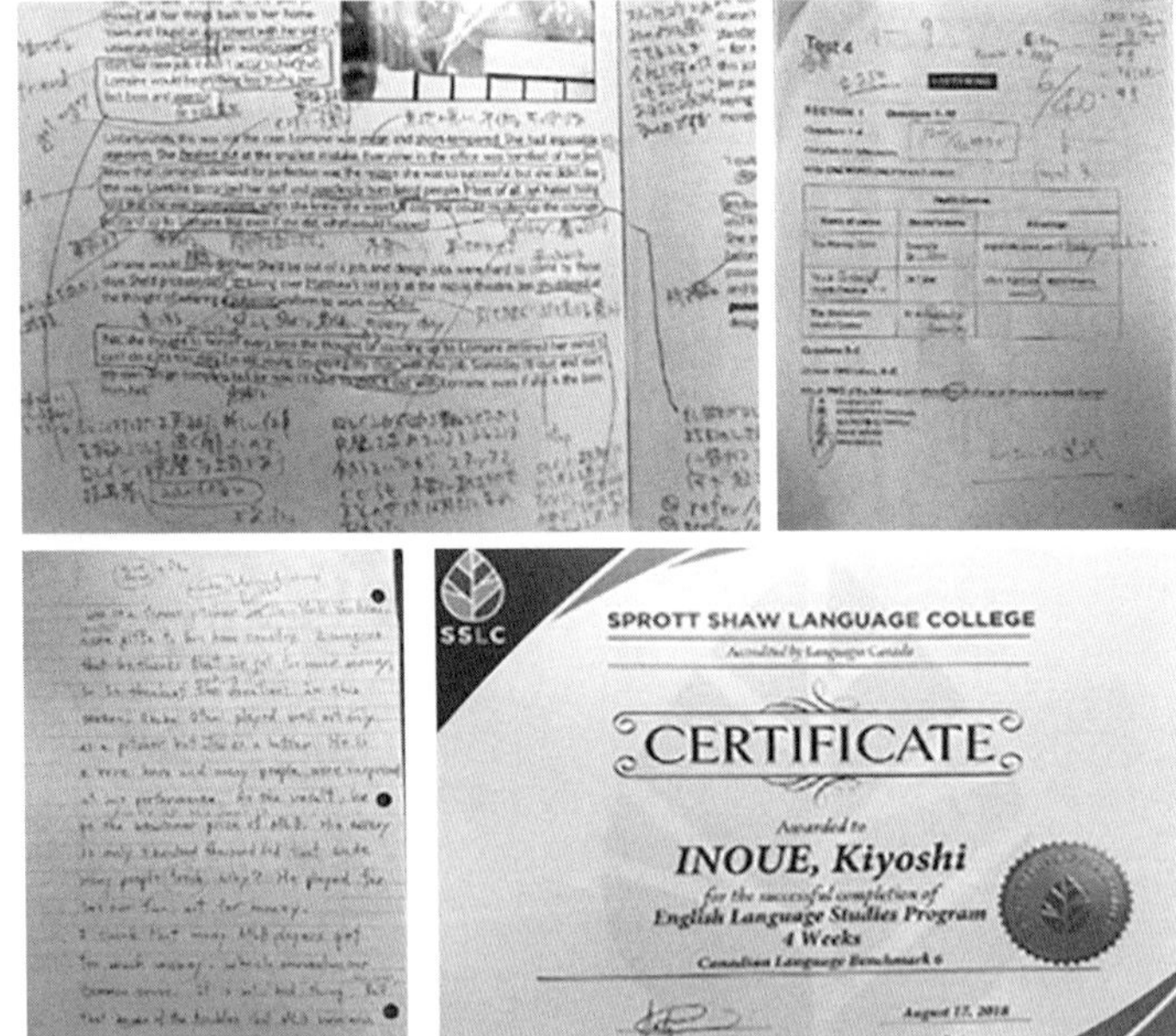

こんな真面目に勉強に打ち込むことになるなんて……。

(3) 塾を閉じ、カナダへ飛ぶ

とは言いつつ、塾をたたむのは大変だった。やはり長年続けてきたことの重さみたいなものがあって、生徒たちへの「さよなら」でも、ビジネスとしても、それなりの時間と手間をかける必要があった。三〇年にわたり、心の支え、悩みの種、生活の糧であった我が塾を、じっくり味わいながらわざと時間をかけて閉じているようなところもあった。

そもそもの話だが、若い時から「先生なんて柄じゃない」と思っていた自分が塾を経営することになるのだから、人生、分からないものである。たまたまのご縁で入れてもらった会社が、実は塾を運営していたというのが「こと」の始まりだった。そこでは実にいい経験をさせてもらった。教室運営や授業、教材作りは勿論、チラシ作成、看板デザインなどを同時にこなした。仕事に疲れ果てて自分が何をやっているのか分からなくなるときもあったが、この時代の苦労が後で全て役立った。

「チャンスがあれば独立するぞ」と通勤途中で書き留めた様々なアイディアは手帳三冊

分になり、これは、大きな旅を前に調べ物をしたり計画を立てたりする楽しさと通じる。独立も旅も、「自分で作る」から楽しく、また、それが自分の性に合っている。

独立に際しては色々な人に意見を求めたがぐずぐずと考えあぐね、自らの迷いに最後にケリをつけるのは自分以外にないと悟って、四〇歳のちょっと手前で会社を飛び出た。

塾を始める時は「経験と実績が十分あり、子供好きな自分がやるのだから上手くいかない訳がない」と、今思い出しても実に楽観的だったが、実際に始めてみると、個人経営ゆえに心細い事が多かった。経営が順調な時は「ああ、独立してよかった。私の考えは間違っていなかった」で自信たっぷりだが、募集が上手くいかなかったり、大きな支払いが重なって預金残高が一気に減ると、「こんなことで生活していけるのか」と暗い気持ちになり、一体、どちらが本当なのか。特に新年度の募集時は寝つきが悪くなって、自分は経営者には向かないんじゃないかと夜な夜な考えたりもした。こうして振り返ると、心が揺れ続けた三〇年だったのかもしれない。

昔、母親に塾通いを勧められた時は自室にバリケードを築いて断固拒否を貫いたが、そんな自分でも「通いたくなる塾」というのを密かな目標にして、自分が思い描いたように塾を運営した。子供たちから元気をもらい、周りから支えられ、楽しいことがぎっしり詰まった三〇年でもあった。よくもまあここまで潰れずに来たものだと実感しているところもある。だからなのか、いざ教室を閉じる腹を固めると、なんとも不思議な心持ちになった。「独立当初の頑張りをもう一度絞り出せば、ここ数年の営業不振は乗り越えられるかもしれない。要は、やる気が無いだけなんじゃないか」と自身を疑った時もあった。吹けば飛ぶような小さな塾ではあるけれど、三〇年もやっていると、ちょっと大袈裟あるいは自惚れのような気もするが、狭い地域ながら一種の公共性みたいなものを帯びてきて、果たして私一人の考えだけでピリオドを打っていいんだろうかと逡巡した。何年か前に卒業した生徒がひょっこり訪ねてくる「場」が無くなるというのも、卒業生にとってだけでなく、私にとっても寂しいことだ。塾の教え子で一〇年間くらい先生として献身的に頑張ってくれた若者は、「後を継がせてほしい」と申し出てくれた。「途中で投げ出すのか」と抗議する保護者の方もいた。

それらの全てを受け止め、経済・知力・体力・時間についてじっくり考えを巡らした上で、だれにも相談せずに、スパッと閉じた。疑念や批判は当を得ていると思う。でも、私は人生の残り時間を考えて、新しい道に踏み出すことにした。生徒たち・保護者・スタッフ・関係者らに教室閉鎖を連絡し、半年の時間をかけて塾を閉じた。

井上先生へ

まず初めに…。トライお疲れ様でした!!
久々に会えると思いきや、まさかのトライとお別れなんて
悲しすぎますが、今まで本当にありがとうございました。
トライに入塾したのは中学1年生の時で、まさかこの自分が
塾に行くなんてありえない!とショックを受けながら嫌々
入ったのをすごく覚えていて、先生達に褒めてもらえるような
頭の良い生徒ではなかったけど、通う内に、段々と行くのが
楽しくなりました。こんな何年も前のことを…と思うんだけど、
私の中では、トライで過ごした時間は中々濃くて、良い思い出
としてずっと残ってます。本当に。きっとそれは私だけじゃなくて、
トライで過ごしてきた、たくさんの生徒や先生たちが同じ
気持ちだと思います。井上先生が続けてきたことが、
誰かの人生の中で大きな意味になってるって本当にスゴいし、
かっけえ〜って思います。この私がこんな真面目な手紙
書いちゃう程度には年月も経っている訳で、そりゃ先生も
年歳取るわ。って感じで…。とにかく、これからも人生楽しんで、
カラダには気を付けて、いつまでもかっこいいおやじで
いて下さい!ありがとうございました! 清水春花
2018.3.12

進学・進路も大切だが、子供たちの成長を見るのが一番の楽しみだった。
旅の準備が本格化したのは、梅雨真っ只中の六月後半で、すでに出発まで一ヶ月を切っていた。塾を閉じるのに予想以上の手間とお金がかかったけれど、なんとなくぐずぐずしている感じもあった。今後に対する不安が一つ、そして、大きな楽しみの前にそれと正反対の虚脱感というか虚しさというか、そんなものが心の片隅にぽっと出てくる、あの感じが一つである。カレンダーを片眼で睨みながら必要なものを買い揃え、留守中のお金の算段をあらかた決め、飛行機のチケットを確保し、最初の一週間のホテル予約を済ませた。

出発当日、東京は朝から梅雨明けを予感させる日差しが照りつけていた。日本の暑い夏がすぐそこまで来ているに違いない。心は上の空のままで成田に到着。家族に見送られて出発ゲートを

くぐると、しかし、後は物事が勝手にどんどん進み、気づいたら、周りはガイジンだらけの機内だった。しんみりしている暇など無い。寂しさやら虚しさ、塾への後ろ髪引かれる思いはすでにどこかに消し飛び、入れ替わりに、自分のやってることをもう一人の自分が淡々と見ているみたいな、これまで知らなかった奇妙な感じがあった。

バンクーバーを素通りして大型フェリーでバンクーバー島に渡り、島の中心ビクトリアへ向かう。夏の日差しが燦々と降り注ぎ、周りの全てが白っぽくキラキラしている。カナダは北国のイメージだけれど、太平洋に面したバンクーバーやビクトリアは気候区分では地中海性気候に属するらしい。確かに、いつかテレビで見た地中海のどこかの町にこの光はあった気もする。午後二時、ビクトリア着。日差しはいいとして、何だ、こちらも結構蒸し暑いじゃないか、これが今日から一年間お世話になる町の第一印象であった。

最初の一週間はちょっとリッチなホテル住まいだったけれど、今日からは普通の生活にしなければいけない。なるべく余計なお金を使わないで、若い人たちと「同じ」とまでは言わなくとも「近い」条件で生活する——それが日本を出る前に自分で決めたポリシーだった。

(4) ハロー、エド&キャリアナ！

明日はホームステイ先に移動する。バンクーバーに事務所がある留学斡旋会社に紹介してもらったお宅で、出発ギリギリで決まったものだ。一口にホームステイと言っても、サービス内容は色々あるようだ。アパートのように半分独立した形態もあれば、家族と一緒に過ごす、いわゆるホームステイそのものという形もある。また、普通の家の一部屋を借りる、まあ、間借りするって感じだが、そういうのもあれば、最初からホームステイできるように造られた家だと、専用のトイレやシャワー、キッチンが付いているというのもある。食事が付くかどうか、昼の弁当はどうか、洗濯はどうするかなど、色々なバリエーションがある。私の場合は、今の分け方にならうと「間借り」と言えそうだ。食事は、昼の弁当も含めて基本的に自分でなんとかする、つまり自炊だ。その代わり、洗濯はお願いする。他人との共同生活が本当は苦手なので、アパートの一室を借りるみたいなのが独立性が高くて気楽なのだが、どうせ外国に出るんだから、とことん外国を味わってやろうと考えた。カナダ人と一緒に生活すれば彼らの日常が否応無しに見えるし、食べ物・好み・考え方などもそれなりに分かってくるだろう。毎日一緒だから、英語をしゃべる機会も自然と増える。勉強に限定しないで人生の経験として広く考えれば、カナダ人の中に入って毎日過ごした方が、学ぶことも多いはずだ。そもそも、私の目的は観光ではない。英語の勉強は勿論だけど、それだけではなくて、外国の色々なものを見たり感じたりする「異文化体験」、これが大事だ。そして、私がやろうとしているのは「旅行」ではなく「旅」なのだ。

ホームステイ先から学校までどのくらい時間がかかるか、一〇〇カナダドル（八五〇〇円）で手に入れた中古MTBの試運転も兼ねて、ホテル前から自転車を漕ぎ出した。幹線道路の端には自転車専用のレーンが必ず設けられていて、自転車の市民権が日本よりも広く認められている。スケボーも同じレーンを使っていて立派な交通手段になっている。いくらなんでもスケボーは私には無理だが、チャリ通学ならなんとかいけるだろうと考えたのだ。ずっしりとくる自転車の重さが気がかりだが、値段を考えれば文句は言えまい。しかし、実際に漕いでみると、自転車が予想以上に厳しい立場に置かれていることが分かった。フーフーいいながら漕いでいる自転車のすぐ脇をクルマは減速せずにバンバン通過し、風圧でグラッとくる。私からすると危険きわまりないのだが、こちらの人たちは、クルマと自転車の信頼関係があるのか、へボい事故なんか起こす訳ありませんよと自信を持っているのか、これも一種の「自己責任」なのか。これじゃ、たまったもんじゃない。結局、ＭＴＢの出番はこの日が最初で最後であった。

さて、そんな鉄の塊を引きずること二時間、バスを使えば二〇分ほどの道のり、爽やかなはずのビクトリア郊外の道を汗みどろでペダルを漕いで、やっとのことでホームステイ先の家にたどり着き玄関ベルを鳴らした。頑固そうな親父とか口うるさいおばはんが出てきたらどうしよう。暑いし、ヘトヘトだし、しかも、ホテルは今夜までしかいられない。玄関先の階段にへたり込み、初対面の人にこれでは失礼かなどとぼーっとした頭のままでいたら、だいぶ経って、図体のでかいご夫婦が現れた。この家の主人エド・スコバーンさんと奥さんのキャリアナさんである。なんといっても、まず、でかさに圧倒された。失礼ながら二人合わせて体重二五〇キロは下らないのではないか。「ヨロシク」のハグをしたが、旦那さんは勿論だが、奥様も背中まで腕が回らない。簡単に自己紹介をし、エドとキャリアナも斡旋会社から連絡を受けて、当たり前のことだが、ちゃんと了解していた。明日からのベッドが確保できた。二人は一見して「典型的なカナダの白人」という印象で、異文化の香りがプンプンだ。そしてなにより、これが一番重要なのは言うまでもないが、二人がとても親切そうなのでホッとした。

これから半年、ここを我が家として週五日、学校に通うことになる。知っている人はほんの少ししかいないし、分からないことだらけだ。でも、心配ばかりしてても始まらない。コミュニケーションがまだ覚束無いが、英会話はやっていれば自然と上手くなるはずと、楽天的に考えよう。困ったら「困ってます」、分からなかったら「分かりません」とはっきり表に出そう。エドとキャリアナの二人に相談すればなんとかなりそうだし、ならなかったらならなかったで、その時考えればいい。何事に対しても虚心坦懐、ありのままを受け止めよう。そして、どんどん中に入り込んでいこう。

言葉・肌の色・体の大小・年齢はばらばらだけど、大変お世話になりました（左からエド、クレイトン、マナ、ジューン、キャリアナ、アシュウィン、そしてアレン）。

エドとキャリアナ、そして二人を取り巻く様々な人たちも交えたディープな生活がこうして始まろうとしていた。

⑸ 英語で話すということ

ビクトリアに来てちょうど一ヶ月ほど経った。時差ボケはとっくに治ったし、気がかりだった食べ物にも意外と順応している。自炊でも、食事自体がどうしても脂っこくなって心配だったけれど、胃腸の方が諦めて食べ物に合わせてくれているのかもと思うくらい、消化器系は頑張ってくれている。歯・お尻とも問題無し。フィジカルは極めて順調だ。

一方、ホームステイならではの面倒臭さはある。キッチンやバスルームの使い方とかゴミの分別、どことどこは飲食禁止とか、その家のルールに従わなくてはいけない。エドは見た目と裏腹に細かくて、正直言うと、うるせーなーと何回か思ったけれど、ま、我慢するしかない。その家に入ったらその家のルールに従う、When in Rome, do as the Romans do. だから。寂しさ、心細さなどは、この年になると大した問題にならない。つまり、メンタル面も上々と言える、ただ一点、英語のストレスを除いては。

「自分の英語が下手くそなのがいけないと自覚している➡だから上手くなるために頑張っ

ている↓そう簡単に上達するものではない↓現実の生活の中で上手くしゃべれないのが悔しく腹立たしい↓本を正せば自分の英語が……」の負の連鎖に陥る。こちらが言うことは恐らく七、八割は理解してもらえてると思う。でも、それを聞いた相手が、「こいつはまあまあしゃべれるな」と判断して、そう思ってくれること自体は本来嬉しいのだけれど、向こうのペースでベラベラやられると、本当にしんどい。一回や二回ならPardon?(すいません、もう一回言ってください)って聞き返せばいいけれど、向こうがしゃべるたびにPardon?と言っていたら、「一日はPardon?に始まりPardon?に終わる」になってしまう。だから、相手に対する気遣い半分見栄半分でYeah.とかOh, I see.とか、分かったようなことをついつい言ってしまう。相手がそれに気を良くして会話がさらにスピードアップしようものなら……。自分のリスニング能力のアップのためにはPardon?をめげずに連発した方がいいのだろうが。

エドはインテリなので、話していると難しい内容になることがある。ある時、イスラムの歴史の話をしていて「ムスリムにはホモが多くてな」なんて言ってニヤッと笑う。そこに至るまではあまり聞いていなかったけれど、こういうところだけは不思議と聞き取れるもので、マジかよ、あの髭面で、とちょっと質問したら、それから延々三〇分、エドの歴史講話が続いた。「訳の分からない話を時折分かった風に頷いたりしながら聞き続ける」という苦痛。やっぱり、難しい内容は避けて、楽しい話、例えばスポーツや食べ物など、相手を考える必要はあるが、あっち関係の話とか、そういうのは皆興味あるから、話が尽きないし、英語のいいトレーニングになる。「ネイティブと恋に落ちるのが一番の英語の勉強」なんて聞いた覚えがあるが、確かに言えてると思う。もっとも、私はその方法を試したことはないけれど。

不思議なもので、英語で話していて、調子の良い日と悪い日がある。調子の良い日は、「おお、私の英語もあと少しでペラペラのレベルだな」などといたって気分が良い。翌日悪かったりすると、「昨日のは何かの思い違いだったんだな」とがっかり。よく分かる人とよく分からない人がいるというのもある。その人の発音・ボキャブラリ・スピードなどが関係してるのかもしれない。同じように、英語で話していて、楽しいと感じる人とつまらないと感じる人があり、おっと、これは日本語も一緒か。

それでは、特に英語が難しく感じるケースを挙げてみる。

①ネイティブ同士の会話　エドとキャリアナが二人だけで話しているのと私に話しかけ

るときとでは、明らかにスピードが違う。私はまだアドバンテージ付き、昔の言い方だと「おみそ」で、気を遣ってもらっているんだな。

②電話　あらかじめ何をどう話すか考えておいた方がいい。面倒臭そうに対応されると心がめげそうになる。こちらが客なら「もっとゆっくり話して」と言ってやればいいけれど、何かを頼む立場だと難易度が一段上がる。

③テレビやラジオ　ネイティブ同士のやりとりと同じで、聞き取りはしんどい。テレビドラマなどを観ていると頭の中で解釈が割れ、正反対の二通りのストーリーができたりする、「こいつは正義の味方だな」というのと、「こいつこそ真の悪党」みたいな。どっちの解釈が当たっているか、クイズ番組のつもりくらいで観ればいいのだろうが。ラジオは、最初の頃はチンプンカンプンだった。でも、エドが勧めるので何回も聞いていたら、だいぶ聞き取れるようになった。天気予報みたいな、同じ表現が繰り返し使われるのは意外と簡単だ。諦めず、嫌がらず、ポジティブに。これがやはり大切だ。

④「数」関係　特に金額。数字の聞き取りに計算が加わると頭がクラクラする。例えば「一個七ドル三〇セントだから六つ買うと……」みたいな場合。キャッシュで払うなら、先に大体の金額を割り出しちょっと多めの、例えば五〇ドル紙幣を出す。でも、

どんどん話しかけるのが英語の一番の勉強。

この方法を多用すると、いつしか財布は小銭でパンパンになる。以前行ったことがあるビクトリアの床屋。カットのみだと thirteen dollars で最近普及した日本の安い床屋さんと同じだから、数ヶ月後にまた行った。そうしたら今度は thirty と言うじゃないか。聞き直しても thirty。変だなあと思いつつ三〇ドル出したら、笑いながらオーバー分を返してくれた。分かっていても聞き取れない、あるいは聞き間違いもあるだろう。と言うよりか、私のリスニングのレベルはまだその程度ということか。

しかしだ、こんなこと、あまり気にしないで、どんどん話してみるのが一番だ。オーバー分がいつも返ってくるかどうかは分からないけれど。

⑹ アレンじいさんと出会う

エドの家には色々なお客さんが来る。友人、知人、以前ステイしていた人、親戚の人たちなどだけれど、一ヶ月もしないうちに、私はそれらの客人をもてなすメンバーの一人になっていた。勉強が忙しかったり疲れているときは「なんで私が……」と思わないこともなかったが、ホームステイは家族の一員のようにすることらしいし、これも異文化体験だ。余程のことがない限り参加し協力させてもらった。

アレンじいさんはキャリアナのお父さんで九二歳。以前は自動車整備の仕事をしていたらしいが、今はリタイアして、八六歳になる妻のジューンとひっそり二人暮らしだ。で、どういう訳か、私は初対面の時からアレンと気が合った。アレンは実に元気がいい。声も大きい。とても九十代には見えない。単純で子供っぽい。下ネタが大好きで、クイズをすぐに仕掛けてくる。私が答えられないと、「お前、そんなのも分からないのか。しょーがねーなぁ、答えはな……」といった感じだ。逆に私が英語のトンチを出して、例えば「赤い顔して紙をパクパク食べるの、なーに？」とか、「魔女が海水浴に行きました。砂浜で食べるお弁当はなんですか？」なんていうのに答えられないと、実に悔しそうな顔をする。

会って三回目の時、アレンじいさんが真面目な顔をして、「オレが船を出すから、キヨシ、一緒に来ないか」と誘ってくれた。船ってどの程度のモノなんだろう。クルージングと言わずにボーティングとか言ってるから、井の頭公園の池のボートをちょっと大きくした程度のものなのか。いくらなんでも動力はあるんだよなあ。なんだかイメージが湧かないが、せっかくだからこのお誘い、ありがたく受けることにした。

「Heyキヨシ。どうだ、この海は。気持ちいいだろう。海ってのはな、広くて気持ちよくて自由なんだぞ」。「おい、キヨシ。オレはな、ここから見える景色が大好きなんだ。遠くまで見渡せるし、コーヒーは旨いし、最高だぜ！」。

実際はエンジンの音がうるさくて、アレンの声はよく聞こえなかった。でも、アレンの目を見れば、こんなことを言いたいんだと分かる。アレンは決して金持ちではない。服はぼろいだけでなく、ちゃんと洗濯できていないみたいだ。体もだいぶガタがきていて、ゆっくりもたもた歩くのが精一杯。でも、気持ちがバリバリ若い。昔、日本の演歌に「ボロは着てても心の錦……」（「いっぽんどっこの唄」作詞・星野哲郎）というのがあったが、まさにあれを地でいっている。自分は何が好きなのか、自分は何をしたいのか、自分にとって何が大切か、全て分かっている。それを実践している。「私がいくら言ってもアレンはお医者さんに行かないのよね」と一人娘のキャリアナはこぼすが、アレンは命懸けで自分の好きなことをやっている。最後の最後まで自分の人生を生き切ろうとしている。私にはそう思えてならない。

さっきまで長閑な話をしてたのに、舵を握るとアレンのハートにスイッチが入った。

アメリカとの国境近くまで周遊したクルージングの間、アレンが言葉を発したのは最初の内だけで、見覚えのある島影で位置を確認しながら黙々と舵取りに集中し、後はエンジンの音と振動に身を委ねているように見えた。午後の日が傾き始めた頃、やっとエンジンの振動が弱まり、ポンポン蒸気のような音とともにクルーザーはハーバーに戻った。私には皆目見当が付かなかったが、そこは朝出た時と同じ桟橋で、きっちりクルーザーを寄せるアレンじいさんの操舵には、全く無駄がなかった。

「キヨシ、クルマを取ってくるから、このロープを持っていてくれ。クルーザーが波に持ってかれちゃうからな。しっかりホールドしとけよ」

アレンはフォードのバカでかいピックアップトラックを水際までバックさせる。後部に取り付けられたクルーザーのキャリアは半ば水の中だ。トラックから降りたアレンは少しだけ斜めに傾（かし）いだ滑りやすい桟橋を、体をやや右に傾けながらゆっくり歩いてくる。そして、「足元がだいぶ覚束無いな」の心配を一蹴するかのように、やおら水の中に靴のまま進み、ロープをクルーザーに固定し始めた。八月とはいえ北国の海は冷たい。しかも海底は海藻で滑りやすいというのに。

ロープを固定し終わり、今度はウィンチアップで、クルーザーをキャリアに引っ張り上げる。電動ウィンチなら簡単なのだろうが、アレンじいさんのは人力でガラガラカチカチとワイヤーを巻き取らなければならない。アレンが巻き取りの作業を始める。ガリ、リ、リ、リ、とギヤのクリック音がする。ゆっくり、少しずつ、クルーザーがキャリアに近づいてくる。アレンはなに食わぬ顔で把手を回そうとするが、船体がキャリアに近づくにつれ水面から引き上げられ、海水の浮力が減った分重くなる。そして、把手を回すのがしんどくなる。アレンの顔は赤から青に変わってきた。

「アレン、俺にも海の男のルーティーンをやらせてくれよ」

「そうか、キヨシもやってみたいか。ま、いいだろう」とポジションを代わる時、アレンがゼイゼイ息を切らしているのがはっきり聞こえた。


エドの家に帰ったのは夕食前だった。予定より遅かったため、どうやらキャリアナは私が帰るのを居間で待ち構えていたようだ。

「キヨシ、今日の船旅はどうだった?」とキャリアナが早速聞いてきた。

「サイコーだったよ。『海ってのは自由だからいいんだ』ってアレンが言ってた。山と同じだね。アレンは俺の人生の大先輩だよ」

そう聞いてキャリアナも嬉しくなったのだろう、なにやら紙片に書いて私に寄越した。

My father is a man's man.(私の父さんは男の中の男)

と書かれた文字は、娘の誇らしげな気持ちと心配がない交ぜになっていた。

(7) 何を食べりゃいいんだろう

「ビクトリアに牛丼屋があればどんなに楽だろう」と何回思ったことか。

「食べたいものが全然思いつかないなぁ」、「サプリで済ませられればこんな楽なことはない」、「あまりにも面倒臭いから、いっそのこと、食べるのやめちまえ」みたいに何回考えたことか。「わがまま+好き嫌いが多い」私がいけないのだが、それにしても、こちらには美味しいものが少ない。しかし、文句ばかり言っていても埒があかない。自分なりの食生活を考えなければいけない。幾多の試行錯誤を経て、朝はシリアルやフルーツのみで簡単に済ませ、昼は外食、夜は自炊でしっかり食べるという毎日の「食」の基本パターンが決まった。昼食、即ち外食だが、これが結構悩みの種で、「学校から片道一〇分程度」、「高くない」、「まあまあいける」の三つの条件を兼ね備えた店とメニューはそんなに多くはなかった。クラスでよく席が隣になるシャーリーは世話を焼くのが好きみたいで、「あなた、今日のお昼ご飯は◯◯◯にすれば」と、何を基準に決めているのか分からないが、大変ありがたいサジェスチョンをしてくれた。もっとも本人は昼ご飯、食べないのだけれど。

　こうして改めて考えてみると、日本の外食産業の素晴らしさを感じないわけにはいかない。日本にいる時は「牛丼なんて……」とか、「コンビニ弁当はどうも……」など、見下したみたいなところがあった。でも、カナダで生活して、日本の外食産業の創意工夫、これで採算がとれるのだろうかと思うような価格、深夜まで営業する頑張り、どれ一つとってもカナダには、そしてアメリカにも無い。もう一言付け加えると、日本のコンビニのケーキは、こちらのケーキ屋さんのケーキより明らかに美味しい。日本製品のクォリティの高さは外国でこそ痛感するが、日本の外食産業やコンビニも、紛れもなく日本企業の素晴らしさの具現であり、それ即ち、昼夜を問わず努力と工夫を続ける日本人の勤勉さの賜と気づいた次第。「日本人は働き過ぎだよ」などと批判めいたことを口にしている私のような人間が、ちゃっかりとその労働の恩恵に与（あずか）っていることも認めざるを得ない。

　さて、次は夕食だ。エドの家のホームステイは、「ご飯は自分で作り、洗濯はお願いする」契約だ。洗濯を頼んだのは正解だったが、料理については最初ちょっと迷った。カナダ人が作った料理を毎日食すのはダイレクトな「異文化体験」に違いない。しかし、それが自分の口というより胃に合わなかったら、半年間辛い思いをしなくてはいけないし、弱点の消化器系が音を上げる可能性もある。ならば自炊、自分で頑張るしかない。

始める前はどこまでやれるか自信がなかったが、簡単なものも含めると、半年間で百回以上夕食を作ったことになる。元々料理するのは嫌いではなかったけれど、毎日のこととなるとそりゃもうタイヘンである。最初に「何が食べたいか」とメニューを考えなくてはいけないのだが、食べたいものがちっとも思い浮かばないことも多い。でも、食べないわけにいかないから、気乗りしなくてもとにかくメニューを決める。冷蔵庫に何があるかチェックし、足りない食材は自分で買いに行く。味と栄養以外にも、安いか、長持ちするか、新鮮か、色々な料理に広く使えるかなど、考慮すべき要素がいくつもある。なるべく少量のものを選ぶのも、単身赴任の身として大事なことだ。

料理そのものも決して易しくはないけれど、グーグルで調べられるから大いに助かるし、これが無いとレパートリーは一〇分の一以下になるだろう。米は何曜日に炊いてとか、肉はいくつかに分けて冷凍にしておくとか、本当に面倒かつややこしい。生活が不規則になると具材を腐らせたりして実害も出る。だから、生活全体が料理に縛られる。つまり規則正しくなるって、これは予想しなかった自炊生活のプラス面であった。野菜は、日本と大体同じものが手に入るが、キャベツはペナンペナンの変てこな品種だった。フルーツは安くて種類も日本より豊富だから、随分助けられた。

自炊生活を通して、いくつか認識を新たにしたことを述べると、
①主婦は偉大である。
②シリアルなんて……、とバカにしていたが意外と美味しくかつ便利。
③料理というのは日曜大工で棚を作るのに似ている。
④カナダにはロクなレトルトが無い。
⑤ジャガイモは、場合によっては米の代わりになり得る。ドイツ人、賢い。

だんだん腕を上げ、高級料理に挑戦したり、ちょいと工夫を凝らして和食らしきものも作るようになった。キッチンで忙しくしていると、ワイングラス片手にキャリアナが様子を見に来る。
「あーらキヨシ、美味しそうな匂いがするわねえ。今日は何を作っているのかしら」

「ちょっと気合い入れてジャパニーズテイストのステーキだよ。私の作ったソースは旨いんだぞ!」

ミディアムに焼き上げたアルバータ牛のフィレ肉に和風ソースをたっぷりかけ、サイドメニューは味噌汁と冷奴、マッシュポテト。地ビールのプルトップをプシュッと開け、

「チアーズ!」

こういうときのキャリアナのウィンクが実に様になっていたなあ。

と偉そうに書いてしまったが、グーグルが無かったら果たしてどうなっていたか。そもそも、グーグルに限らずインターネットがこんなにも便利なものなのかというのが、なにかと不自由・不便な外国に出て初めて分かった。こちらの会社や施設を直接相手にする宿泊・飛行機やフェリーの予約などは英語で頑張るしかないが、グーグルは勿論のこと、ヤフーだろうと、ビッグローブだろうと、またラインでもメールでも、全て日本語で大丈夫……ってことをわざわざ記すのは、自分の無知を晒しているようなものだが、ITが世界を変えると言われて、日本では「ふーん、そんなものか」とあまり気にも留めなかったが、外国に出て、「ああ、こういうことなのか」とアナログおやじにはいい勉強になりま

した。

1 頑張った後はラーメン餃子＋生中　2 ヤン婆さんのスープは心まで温まる　3 カツ丼は私の勝負飯（ここまで外食）
4 朝定食の納豆・海苔・豆腐の味噌汁　5 豚肉を薄く切るのが難しい　6 豆腐ステーキなんて日本じゃ食べたことなかったが
7 こちらはフルーツが安く、美味しく、種類多し　8 ステーキ＋バターライスなんて楽勝です（自炊）

⑻ ローランドの静かで心豊かな日々

エドとローランドは以前から誘い合って、近くのエルク&ビーバーレイクというところで早朝散歩を続けている。毎週ではなく、月に三、四回、二人とも毎日が週末のはずなのに、一応電話でお互いの予定を確認し合っている。私もその仲間に入れてもらって、何回か一緒に湖の周りを歩いた。

ホストファザーのエドの友達のローランドは、五〇年前にドイツから移民としてカナダにやって来た。以前は建築用の鉄鋼を扱う会社を経営していた。彼は多くのカナダ人みたいに大声でべらべらしゃべることをしない。いつもは聞かれないことまでしゃべるエドですら、ローランドの前だと静かになる。がっちりした体格で、一〇年前までトライアスロンをやっていて、大会に出たこともあると言っていた。八二歳で左の耳と眼がやや悪い。ローランドは奥さんと二人暮らしだ。奥さんは長患いをしているようで、一度も出てこなかった。ドンキーを二匹飼っていて「毎朝こいつらがブヒブヒ朝飯をねだるから、ローランドは早起きなんだよ」とエドが説明してくれた。カナダは日本よりも年金制度がしっかりしている。昔、遮二無二働いていたであろう時の蓄えと年金で、ローランド夫妻は経済的にはなんの心配も無い生活を送っているようだ。

話し方も身振りもゆったりとしたこのドイツ紳士、一端歩き始めたらトライアスロン時代にスイッチオンしたかのように、往復八キロの道のりを私と同じ歩調で二時間ちょいで歩く。こちらに来る前に、私はテント担いで南アルプスの道の無いルートを単独踏破したりしているから脚力には自信があるが、ローランドは私と同じペースで歩くし息も切れない。散歩道と言うよりトレイルと言うのが相応しい森の中の小径は凸凹やアップダウンが多く、木の根なども張りだし、足元に注意していないとよく躓くのだが、ローランドが躓くのを、私は見たことがない。一方、エドは膝を悪くしていてＭＴＢに乗っての散歩だから、ま、散歩と言

二人には20歳近い年齢差があるけれど、まるでイーブンの友人関係であるところが面白い。

えるかどうかは別として、本来はエドこそダイエットを考えて歩いた方がいいが、そして恐らくローランドも同様に感じていると思うが、彼はそういうことは口にしない。

ローランドの運動神経や体力も大したもんだけれど、森の中にひっそり佇む彼の家がまた素晴らしい。この地で伐り出されたスプルースを使い、前庭に面したガラス窓や大きな天窓からは、北国の初夏の光が優しくふんだんに差し込んでくる。散歩の後は、必ずここで一休みし、そうするとローランドはいつも決まってオレンジジュースとドイツ風の硬いビスケットでもてなしてくれる。壁には、ローランドが家族とともに世界を巡って集めた様々な装飾品や人形、お面が飾られている。私が興味深げに眺めていたら、遠い昔を懐かしむような穏やかな口調で、ローランドが一つ一つ説明してくれた。メキシコ、ニカラグア、南アフリカ、インドネシア、カンボジア、ドイツ、インド、チベット、中国……。「日本にも行きたいと思っていたんだけれどね、なんだか行きそびれてしまったみたいだな……」とローランド。土の香りがしてくるような人形やお面たちは美しく、ものによっては不可思議にも不気味にも感じられる。

私の頭に『おもちゃのチャチャチャ』の一節が思い浮かんだ。〈……みんなスヤスヤ眠るころ　おもちゃは箱を飛び出して　踊るおもちゃのチャッ、チャッ、チャッ……〉（作詞・野坂昭如）は、目の前の人形とお面たちにぴったりだ。

「人形とお面たち、夜中にニヤニヤ笑って踊ったりしてるんじゃないですか」と尋ねたら、「かもしれないなあ」とローランドは全然意に介さない。

ドンキー小屋の周りには作業用ピックアップトラック、小型トラクター、何に使うのか分からない機械類の奥には、古びたキャンピングカーが骨を休めていた。キャンピングカーと書いたが、実際はキャンピングバスと呼ぶべきで、小ぶりのキャビンにタイヤが四ついて、道さえあればそのままどこへでも行ってしまう、そんな代物だ。それで、南北アメリカ大陸を縦横無尽に走ったという。娘さんと一緒にＭＴＢでサンフランシスコまで行ったり、オーストラリアも随分走ったらしい。「ドイツには毎年帰るんだ」と、この説明だけは日を違えて二回聞いた記憶がある。故国ゆえの特別な思いがそうさせたのだろうか。

作業場を兼ねた薄暗いバーン（納屋のこと）には油のこびりついた工作機械、ＭＴＢ、なにやらわけの分からない、しかしそれなりに活躍したり、今も現役で役立っているかもしれないツール類に囲まれて、ワーゲンやフォードのオールドファッションモデルが三台、うっすら埃をかぶって眠っていた。会社を経営していた当時の羽振りの良さが感じられるが、そんなことはおくびにも出さないし、服装も質素というよりちょっとボロで、履き古したGパンに擦り切れ穴があったりしている。色々見せてくれたのは、「キヨシが興味を持つんじゃないか」とエドが頼んでくれたのだと思う。自ら進んで自分を語ること、ローランドはしないだろうから。

「キヨシはイヌビクに行くって言ってたよな。ローランドは何年か前にイヌビクに行ってるから、色々質問するといいんじゃないかい」とエドが話を繋いでくれた。

「学校が終了したら、ユーコン経由でアラスカを周る計画なんですよ。その時、ぜひ、ドーソンからイヌビクへのデンプスターハイウェイに挑戦しようと思っているんですよ」

「デンプスターか。昔行ったなぁ。ちょっと……」と言って、ローランドは席を外し、棚の上の箱をいくつか下ろし、数枚の印刷物を持って戻ってきた。

「だいぶ古いけど、役立つかもしれないから……」

ローランドは、彼の地を訪れた時の地図をくれるというのだ。カラー印刷が退色しているから、データとしては古くなっているところがあるだろうが。

「貴重な旅の資料をありがとう。大事に使わせてもらうよ。どこか、これから旅したい場所はないの？」と尋ねると、ローランドは「もう、十分だよ」という風にゆっくり頭を横に振った。

森の中のログハウスの主人は、寝たきりの妻と静かな日々を送っている。家族とともに世界を訪ねて集めた人形やお面たち、そして二匹のドンキーに囲まれながら。

なんで飼っているのか尋ねてみてもよかったかな。

⑼ 異文化体験の楽しさ

「相違」と「共通」の渾然一体、これこそが異文化体験の醍醐味だろう。

六十いくつにもなるオッサンが若い人たちに交じって勉強するとどうなるか、最初は想像もつかなかったけれど案ずるより産むが易し、年の差がかえって面白かったかもしれない。勉強が進むにつれ、そして、周りの環境や人々に馴染むにつれ、年齢の違いなんてものは、例えて言うなら「お迎え」が来る行列の前の方に並んでいるのが私で、若い人たちは後の方、でも結局、皆、並んでいるじゃないか程度の問題だと気づいた。それよりも、「生まれ育った文化の違い」の方が余程興味深い。授業中でも町中でも、「ああ、外国ではああなんだ……」と感心したり、納得したり、違和感を覚えたりすることしばしばで、「ああ、ここは外国」と当たり前のことを思い起こし、いつしか、普段から「違い探し」をするようになってしまった。

カナダ人は、朝起きて外出前にシャワーを浴びる。勿論、前から聞いてはいたが、実際にそうなのを見ると、「おお……」という気がするから面白い。カナダの男はヘアークリームとかワックスみたいのを使わない。身だしなみのきちんとした人でさえ、髪は洗いっぱなしらしい。ウォルマートなどで男性用化粧品を探したが、見当たらなかった。代わりに髭剃り関係が充実の品揃えで、毛むくじゃらの輩が多いから、これには納得である。

トイレットペーパーをつける「向き」が、日本では座っている人の方に向いているけれど、カナダでは座っている人に並行、つまりドアの方に向いている。日本式に慣れた我々には、どうも紙を取り出しにくい。また、隣の個室との隔壁の下三〇センチが空いているから、隣人の様子がもろ分かる、ってことは向こうもこっちが分かる。ドアも隙間が空いていて、中の様子を見ようと思えば

ペーパーの向きよりも隙間の方が、慣れるのに時間がかかる。

見える。だから、切羽詰まって待っているのに中のヤツがいつまでもスマホを見ていたりすると、腹が立ったり腹押さえたり……。

信号の無い横断歩道でクルマの途切れるのを待っていると、必ずクルマが停まってくれる。これは素晴らしい。逆に、赤信号でも、クルマが来なけりゃ皆渡っちゃう。英語でジェイ・ウォーク jay walk と言う。雨降りでも傘を差す人がほとんどいない。小雨なら分かるが、本降りでも平気で濡れて歩いている。しかも、女の人も。「この程度じゃ大丈夫。へっちゃらだぜ」みたいな感じで、開拓時代がそんなに昔の出来事ではないのかと想像してしまう。

温度を感じる肌感覚が、カナダ人と日本人では根本的に違うのではないか。皆、とんでもなく薄着だ。十一月の夜、私は厚手のダウンジャケットを羽織っていたけれど、金曜の夜ってこともあり、腕・肩・胸上部丸出しで、さらにヘソ出しの女の子が肩で風切って歩いていた。町を歩いてる人のほとんどの人が普段着で、結構汚れてたり擦り切れたりしている。女の人のスカート率は一〇%程度で、半数以上の人がレギンスだ。スタイルのいい子は見ていて（決してジロジロは見ないけれど）実に決まっているが、一〇〇キロ超級がレギンスだと布が気の毒に感じられる。

そもそも体型が違う。体の厚さが異なる。お尻がボンと後ろに突き出ていて、雪が降ったら積もりそう。女の人が外股で歩く。背筋がピンと伸びているからかっこいい。脚は皆一様に長くまっすぐで、惚れ惚れする。短足+O脚の私はため息をつくしかない。お尻とかヘソとか脚とか、本当は撮影したかったのだが、学校の女の子に「キヨシさん、それ以上やると盗撮ですよ」と言われて、気持ちがめげた。

基礎英語コース（ESL）の授業中の雑談でアメリカ文学にまで話題が広がり、私はジャック・ケルアックの『オン・ザ・ロード』（邦題は『路上』）について語ってしまった。五〇年前、青春の迷いの真っ只中にあった私は、繊細で不安定かつ反抗心に満ちたこの小説にググッときた。学校の先生が急に嘘っぽく感じられたり、親の言うことに無性にムカついたり、正体不明のイライラを抱えていた。スチューデントパワーが世界を席巻し、ジョン・レノンがヘルメットをかぶって世界平和を訴えるプロテストソングをがなり立てた時代だ。私の通っていた都立高校でもバリケード封鎖があって、昨日まで一緒に弁当を食べていた同級生が、学園民主化を訴える難しい演説をして、私はあっけにとられたものだ。

「私も若い時は始終旅をしていたんだ。日本国中、ヒッチハイクでね。だから、『オン・ザ・ロード』は、心理についてであろうと風景であろうと、やたら自分の感性にビビッときたな。最初の一ページ目から、なんでも理解し合える昔からの友達と話してるような気分だったよ。言葉も食べ物も文化も全然違うのに、同じ気持ちを分かち合える」

好きなこと、興味のあることについて語るとき、人は饒舌になる。話したい気持ちが先走って、必死に振り絞った英語が後からついてくる。

「ケルアックを読むと、旅に出たくなるよね。僕はバショーの『オクノホソミチ』を読みたいんだけど、手頃な英訳本が無いんだよ」と先生が答えた。

「そうか、確かにどちらも旅から生まれたってのは一緒だね。でも『オクノホソミチ』は俳句という日本独自の詩の形式が中心だから、英訳はちょっと難しいかな。それに『ナツクサヤ……』って言ったって、ビクトリアの爽やかな気候じゃなくって、日本のうだるような夏の暑さだからね。ムッとする草いきれ、狂おしいほどの蟬の声、その中にぽかんと空いた異空間と静寂……」。予期せぬ文学談義が嬉しくなって、私は調子に乗って知ったかぶりを言ってしまった。

日本とカナダ、遠く離れた異なる文化の中で育った人間が、同じものに出会い、共通のものを感じ取り、はたまた異なる感慨を抱く。身の回りの「違い探し」に気を取られつつ、一歩踏み込むと、自分たちと同質のものがあることに気づく。「同じ」は気づきにくく、中に入らないと見えてこないかもしれない。また、今の日本ではなく、一昔前の日本について当てはまるように感じることもある。表面的・現象的な事柄よりも、内面的・心理的なところでの同一性、それは普遍性と言っていいのかもしれないけれど、それらを感じたり見たりすることが多かったように思う。アレンとキャリアナの父娘関係や二人のメンタリティは、日本の私の周りにも普通にある。人間、本当に皆同じと、つくづく思わざるを得ない。

⑽ ビクトリアの町と、そこで出会った人たち

道行く人たちの歩行速度が全然違う――バンクーバーとビクトリアの違いは、そんなところにもはっきり現れている。

大英帝国の女王の名を冠したビクトリアは、歴史を感じさせるこぢんまりとした町で、最初のうちは「なんて長閑で安全な町なんだ」とホッとする反面、観光の町特有の「退屈さ」みたいなものも実は感じていた。でも、学校に慣れ、レストラン、携帯ショップ、本屋、中古CD屋、紅茶屋、マーケットなどで店員さんに顔を覚えてもらったり、面白いのは通学のバスの停留所で一緒になる人で、何回か顔を見る内にどちらからともなく話すようになった人もいた。銀行マン、マッサージパーラーのおねえさん、学生さん、病院通いのおじいさんなど様々で、背負い込んでいる人生の荷物はばらばらなんだろうけれど、おしゃべりしたり相談に乗ったりしていると、ああ、皆、頑張ってるんだなというのが自ずと分かる。さらに加えて、現在に至るまでの町の歴史を少しかじると、開拓時代の面影を

今に残す美しく平和な佇まいの奥に、入植以来二百年余にわたる人々の血と汗と涙があったことに気づき、ビクトリアという町に愛着を抱くようになった。

バスチョンスクウェア界隈。奥のモニュメントは槍の穂先ではなく特産のチューリップ。左下にＳＳＬＣの看板が見える。

ビクトリアは、東北地方くらいの大きさのバンクーバー島南部にある都市で、海峡を隔ててアメリカと接し、晴れた日はシアトル郊外のオリンピック山脈が遠望できる。議事堂があることでブリティッシュ・コロンビア州の州都の面目をなんとか保っているが、経済や町の規模は、バンクーバーに遠く及ばない。バンクーバーではなく古くて小さいビクトリアを敢えて州都に据えたのは、古いものに敬意を表する新大陸らしい価値観によるものか。年間気温は五度～二〇度程度で一年を通して過ごしやすく、ホームレスも冬になる前にオタワやケベックから移動してくるという。近年は投機目的の中国マネーの流入により地価や家賃が高騰して、地元民を嘆かせているようだ。

バンクーバー島発見後、最初に砦が築かれた場所が現在のビクトリア観光の中心地バスチョン・スクウェアで、バスチョンとは「砦」を意味するのだ。私の通った学校はその一角にあり、ヨーロッパ列強や新興アメリカがドンパチ血生臭い争いを繰り広げていた場所で、私は気楽に勉強していたことになる。

英語学校SSLCの実質的な事務局長のジュンコさん。こちらでは、あるいはこの学校では、できる人、気がついた人、やる気のある人がどんどん仕事をするようだ。で、ジュンコさんは「できる・気づく・やる気ある」の三つが揃っているから、常に仕事に追われているし、仕事がジュンコさんに集まってくる。若い時はヨーロッパを股にかけ、ビクトリアに来て幾星霜、と言ってもまだお若いのだが、中国人のハンサムボーイと結ばれ、現在は三人の子育てに奮闘中だ。ジュンコさんに出会わなかったら、私の英語の勉強は成り立たなかったかもしれない。「なんでも相談してください」と言ってくれるから、私はその通りに受け止めて、勉強のこと以外も、なんでも相談した。すると、大きな声で高らかに笑って、全ての問題はノープロブレムになる、あるいはノープロブレムになったと感じさせてくれる。自分のことは後回しにして、全てを受け入れ肯定し前に進めるのがジュンコさんだ。「カナダで仕事し始めて長いから、カチッとした日本で働くのはもう無理」とか言っていたけれど、英語で電話応対しながらパソコンで先生のシフトを決めている働きっぷりを見ると、いやいやジュンコさん、やっぱり日本人だなあ、日本人はよく働くなあ、それにしても他のスタッフは働かないなぁ、と感じないではいられなかった。

ＳＳＬＣで講師をしているバーニーに出会えたのも幸運だった。英語の検定テストは、文法が沢山出題されるトフル（ＴＯＥＦＬ）かトイック（ＴＯＥＩＣ）の方が本当は私には有利なのだが、バーニーが担当するアイエルツ（ＩＥＬＴＳ）コースに敢えてしたのは、バーニーの授業が私の知的欲求を十分以上に満足させてくれるからだ。南アラスカに近いハイダグアイ島の出身で、彼の瞳を見ていると、人気の無い砂浜や静かな入り江の様子が思い浮かぶような気がする。聞き取りやすい穏やかな口調で、興味深い話が尽きることなく出てくる。生徒たちにはチャランポランなの、休んでばかりのやつ、バーニーの授業の奥深さを理解しないやつなどもいる。遅刻常習犯が少しだけ済まなそうな顔で教室に入ってきても、しかし、バーニーは余計なことは口にしない。できちゃった感のあるカップルが後ろの席でいちゃいちゃしてても、バーニーはなに食わぬ顔で授業を続ける。でも、こんなこともあった。私だけテストの点数が超ドッボでどうしようもなく落ち込んでいた時だった。バーニーはなんとなく近くに来て、私の好きそうなこと、ハイダグアイの森の中のトーテムポールとか、人が住む中で最も寒いグリーンランドの村の話とか、その時ばかりは随分と饒舌に話してくれた。バーニーはそんな男なのだ。

私より先にエド家でホームステイしていたマナはうちの娘と同じくらいの年齢だけれど、ある意味では志を共にする友であり、日本で医療関係の仕事をしていて年寄りの扱いに慣れているのか、てきぱき私に指示をする先輩でもある。現実と自分の考えを重ね合わせて、手探りして進むべき道を見つけている。独自の判断基準を持っていて、それがマナをマナたらしめている、そんな気もする。なんだか「鉄の意志を持つ女」みたいに聞こえるかもしれないが、結構ドジなところもあって微笑ましい。マナに誘われて行ったホットポット（中国式寄せ鍋）は、こちらで食べたレストランでの食事のベストスリーに入るだろう。お腹ぱんぱんになるまで食べて、さて勘定と思っていたら、「キヨシさん、もっと食べますよね」と言って、私の返事を待たずに肉を三皿、野菜を二皿追加。白米も、私は頑張って二杯食べたが、マナは三杯平らげた。マナと私は、日本ではなかなかありえない貴重かつ不思議な関係だ。

外国で生活していると、自分は今一人ぼっちなんだなあとしみじみ感じるときがある。でも、だからこそ、自分がいかに周りの人たちに支えられているかがよく見えてくる。人は人の中でしか生きられないことに気づかされる。

⑾ 日本が失ったもの

カナダに来て、「あっ、こういうのいいな」というのがいくつもある。それらは、恐らく戦前の、いや三〇年前の日本では当たり前だったのだろうが、日本人が忙しさにかまけているうちに消えてしまったのかもしれない。日本人は実によく働く。働くのは確かに大切だけれど、いくらなんでも、ちょっと働き過ぎではないか。あくせくし過ぎているのではないか。経済発展とともに、我々の周りには便利で綺麗なものが増えた。外食産業の素晴らしさは言わずもがなで、日本は物質的には相当恵まれた国だと思う。でも、精神的なもの、心のゆとり、そういうものがいつの間にか、そして、多分だいぶ前に消えてしまい、我々はそのことにはっきりとは気づいていない、あまりに忙しいから。それが現在の日本の姿なのだと思う。

カナダでは、見ず知らずの人に話しかけるのは珍しくない。バス停だけでなく、レストランで隣席になったり、犬の散歩の人と歩道ですれ違うときなど、自然と挨拶する。どちらが先に挨拶するかは問題ではなく、目が合うとニコッと笑顔で挨拶なのだ。ハンバーガーを食べているオヤジの近くを通ってなんとなく目が合っただけなのに、そのオヤジ、親指立てて「旨いぜ！」なーんてやってて、別にこっちは味なんか聞いてないんだけれど、もっとも腹は減っていたが、なんとも楽しくなってしまう。世界第二位の広さを誇る国土と開拓時代の精神がそこはかとなく残るカナダ。そして、そこに住む人々の、なんとフレンドリーなことか。体がでかいだけでなく、心が大きい。ゆったりしている。うらやましい限りだ。

ビクトリアでは、バスを降りるときに、ほとんどの人がバスドライバーに Thank you. と言う。大人は勿論だが、生意気盛りの中学生や高校生も Thank you. と言う。ちょっとヤンキーっぽいのとか、ヒッピーみたいなのとか、そういう子たちでさえ Thank you. とごく自然な調子で言う。パープルヘアーのモヒカン兄ちゃん、腕にはタトゥーがびっしり、革ジャンは安全ピンだらけ。さすがにこいつは……と思って下車するのを注意深く待ったけれど、やっぱり言った、Thank you. と。可笑しくなってしまうし、嬉しいし、可愛い。だから私も心の中で言った、Thank you for saying thank you. とね。

次もバスだが、若者がお年寄りや体の不自由な人に席を譲るのがもう当たり前で、全然特別なことではない。席を譲らないなんて考えられない、彼らはそう思っているんじゃないかと感じさせるくらい、なにしろ、さっと、自然に、表情を変えることなく、席を譲るのである。バス停に着いて、乗り始めたお客さんの中にお年寄りがいると、その人がまだ乗ってない段階で、若者がパッと席を立って後ろに移動する。私は逆に、若者が席を立つことで、「あ、お年寄りが乗ってくるな」と分かるのだ。お年寄りが一人でも、同時に数人の若者が席を立つなんてのも珍しくない。お年寄りがバスの中に来たときには、目の前に空席がすでにあり、お年寄りは当たり前のように座る。譲られる方だって特別とは感じていない。「よくしていただいて、ありがとうございます」なんて弱々しいことは口にしない。

そもそも、車椅子やベビーカーの人

車椅子専用のタラップで乗車。他の乗客が乗るのはその後。

たちが不自由しないように、バスの前の方のシートが折りたたみ式になっている。何十万キロも走ったようなバスがほとんどだけれど、「ポンコツでもハートはあったかいぜ」と言わんばかりに、ビクトリアのバスは、がたがた道を突っ走っている。それに引き替え日本では、手入れの行き届いたピカピカのバスが、きっちり時間通りに、放送による案内を流しながら、無表情で走っている。乗り物の席だけでなく、学校でも、会社でも、いや社会全体が過度な効率優先主義と競争原理に貫かれ、それを疑問に思わない人間が溢れかえっている。「権利」と「義務」という二つの言葉が投げ散らかされ、それを掃除する人すらいない。

ある日、学校帰りのバスの中。隣の席は高校生くらいだろうか、ちょっと粋がってる感じの男の子だった。浅く腰掛けて脚を組んでいるものだから、そしてこちらの人はやたらと脚が長いものだから、スニーカーの底がグイッと私の方に伸びていて、態度悪いなあ。ところが停留所で電動車椅子のじい様が乗ってくると、いや、正確に言うと乗り込む前に、さっと席を立って、電動車椅子を横に置いてじい様がちゃんと座れるようにシートを直した。じい様は当たり前の顔で着席。私は嬉しくなって、思わず若者に話しかけてしまった。

「君の今の行動は素晴らしいし、私まで幸せな気持ちになったよ、ありがとう」

当の若者は「いや、別に……」みたいな顔をしてる。

「こういうのは学校で習うの、それともご両親から言われてるの？」

「そんな、別に……、フツーっすよ……」

儒教思想とか敬老精神とか高邁なことを言うだけで、今の日本社会のテイタラクは何なんだ。カナダで何回も遭遇したジェントルマンシップ、それが何に起因しているかまでは突き止められなかったが、こういうことが当たり前の雰囲気がカナダにはある。以前からそうであったのだろうし、特に誰彼に教わることなく、今後も続いていくのだろう。

⑿ アレンじいさんの孤独

一時帰国を経て、私は再びエドとキャリアナの家にお世話になった。英語の勉強に区切りをつけた後、私はユーコン・アラスカを巡る旅を予定していた。

出発の一週間前、エドとキャリアナがアレンとジューンにも声をかけて壮行会をしてくれた。学校が終わって急いで家に戻ると、アレンはしょんぼりソファに腰掛けていた。肩を落とし、首はうなだれていた。聞いてはいたが腰の調子が今日は殊更悪いようで、私が「やあ、アレン。今日はわざわざ来てくれてありがとう」と話しかけても、視線が下に落ちたままだ。こんなに元気の無いアレンは初めてだ。日本の腰痛の薬を見せても全然興味を示さない。本来なら家で静かにしていた方がよかったのではないか。アレンがジューンとロングドライブした時の思い出や、昨夏のクルージングの話をしても、ノリが悪い。クイズはネタ切れだし、さて、どうしたものか。

「アレン、風呂はちゃんと入っているのかな?」

顔も上げずに、もごもごした声でアレンが答える。

「シャワー室は面倒だからキッチンでな。でもちゃんと洗ってるから、余計な心配すんな」

シャワー室でなくて、なぜキッチンなのか……、まあ、いい。

「アレン、料理はどうしているの？」

「ちゃんとやってるさ。今朝だって卵を料理して、ジューンに食べさせてやったぜ」

「愛する妻だからね、大切にしなきゃ罰が当たるさ。夜も仲むつまじくしてるんだよね」

ここで初めてアレンが顔を上げて笑顔を見せた。私は調子に乗って、アレンの股ぐら辺りを軽くつつきながら
「腰は辛そうだけど、あっちの方はどうなんだい？」と言ってやった。アレンはニカッと笑い、

「ばっかやろー。今だって俺は新しい女をな……」

ジューンが困ったようなうれしいような顔をして、我々の方を見やっていた。

キャリアナ心尽くしのローストビーフと山盛りのサラダの夕食は、アレンじいさんが静かなこともあって会話が弾まない。私は、一ヶ月前、エドに連れて行ってもらったビールフェスティバルの話をした。

「バンドの演奏もあって、スケートリンクがライブ会場になるんだから楽しかったよね。ありがとう」と私。

「あれは良かったよな。いろんな地ビールが飲み放題なんだから」とエド。しかし、「だから、店で飲むビールは格別なんだよ」のアレンの一言にキャリアナが即座に反応した。

「アレン、それは違うわ。場所はアリーナだったでしょ。何度言ったら分かるの」

この後、アレンじいさんの記憶が最近とみにおかしくなっていること、いくら周りが訂正しても頑としてそれを受け入れないこと、医者にも行かないし薬もちゃんと飲んでいるか怪しいものであることなど、頑固じいさんに対する娘の集中砲火が続いた。ひとしきり言い終わり、しかしそれでもまだ不十分と思ったのか、キャリアナは夫に援軍を求める。エドはビールフェスティバルの会場が店ではなくてアリーナであったことを、いくつかの具体的な証拠を挙げて説明する。最初の内こそアレンは「そんなこたぁないぜ」とか「いや、今年は分からんが、去年は店で……」など、小声で言い返していたが、エドのギョロ目で見据えられ、一言言えばそのウン倍も理路整然とした言葉が返ってくるので、あっという間に下を向いて押し黙ってしまった。

「キヨシからも言ってやってよ」とキャリアナが私にまで発言を促す。壮行会どころではない。確かに、アレンの言っていることは現実とずれている。少しだけ認知症が始まっているとも思う。薬や医者については、キャリアナの心配はもっともだし、現状を放置することのリスクも分かる。でも、だからといって、アレンを総攻撃するのもどうかと思う。

苦し紛れに私は「まあまあ、ビールフェスティバルがどこで行われたかなんてどーでもいいじゃないですか、ビールが旨かったんだから」などと言ったが、重苦しい雰囲気は変わりようもない。皆が押し黙り、私の次の言葉を待っている。「事実」を唯一無二の判断基準に据える欧米の思考回路を、私は今、目の当たりにしている。そして、客観的事実のサイドに立つのか否かの決断を迫られている気がした。でも、私はアレンの認知力についての情報を断片的にしか聞いていないし、私の英語力で、真に考えていることを正確に言い表すのは難しいだけでなく、下手をすれば誤解されかねないと思った。

「船のロープワークをもう一回教えてくれよ」

私はアレンをテーブルに誘った。キャリアナがどんな表情をしているかは見ることができなかったが、これでやっと流れが変わった。私はロープワークをアレンの目の前で教えられたとおりに何回も繰り返した。ムービーに録ったり図に描いたりした。アレンに少しだけ笑顔が戻ったのが分かった。

アレンもキャリアナも、私もエドも、必ず「できた」ことが「できなくなる」時がやって来る。幼児の時に初めて立って歩けるようになって拍手喝采されて以降、人は誰でも「できるようになる」喜びを糧に大人になる。でも、老いるとはその逆のコースを辿ることだ。「できない」と分かるのはどんなにショックなことだろう。記憶違いを指摘されるのは「あんたはまたできないことが増えた」と言われているのに等しい。まして、それが娘や娘婿からだったら、悲しさや悔しさを相手への腹立ちにすり替えるしかない。意地でも言いなりになってたまるか、アレンはそんな気持ちなんだろう。

なんだか気心が通じてしまう。アレンは私の人生の大先輩だ。

会がお開きになったのは十一時近かった。ジューンをクルマまでエスコートし、最後にアレンじいさんとハグをした。もしかするとこれが今生の別れになるかもしれないの思いが頭をかすめたが、「じゃ、また会おうぜ、アレン」と大きな声で見送った。

⒀ 異国の地で介護について考える

次の夜、キャリアナが「今夜はアレンのこと、キヨシと徹底的に話し合いたいわ」と、ワインのボトルを片手に言ってきた。有無を言わせぬ感じであった。

「キヨシ、昨日で分かったでしょう。アレンはもうわけが分からなくなっているの。そのくせ、意地になって私の言うことを聞こうとしないのよ。本当言うとね、あのクルージングだって、私は反対だったの。だって海で迷子になったら、下手すりゃ終わりでしょ」とワインを飲みながらキャリアナが語り始めた。「下手すりゃ終わり」って、おいおい、それはないだろうと思いつつ、

「あれ以来、クルージングには出ていないんだね。アレンの最後のクルージングにお供できたなんて、とても光栄だよ。でも、昨夜みたいに皆で言い負かせて言うことを聞かせようとしても、解決にはならないよね」

「ビールフェスティバルなんてどうでもいいけど、病院と薬だけはなんとかしないと。いつ倒れてもおかしくないくらいだと私は思っているの」

グラスを重ねながら、キャリアナが返してきた。

「病院と薬については別問題だね。それはそうするべきだと私も勿論思うよ」

「なら、医者と薬についてはキヨシからも強く勧めてみて。私が言うよりキヨシが言った方が聞くかもしれないし」

病気がちのジューンに代わって、アレンじいさんが家事を切り盛りしている今の二人暮らし体制は、すでに破綻している。シャワーの件はよく分からないが、まともなものを食べていない可能性もある。クルージングの後、「飯でも食っていけ」とならなかっただけでなく、そもそも家の中に私を入れなかったのにも察しがついた。

キャリアナはワイングラスを何杯も空けた。酔っ払ってシリアスな問題を英語で論じるのは荷が重いから、私はカナディアンウィスキーの水割りをちびちびなめるだけにして、なるべく聞き役に回った。老人ホーム、こちらではナーシングホームと言うらしいが、それを何軒か当たっていること、仮に良い施設が見つかったとしてもアレンは断固拒否でドンパチが始まるであろうこと、ジューンのことは弟のクレイトンにも協力してもらって面倒を見ていきたいが、クレイトンの彼女の同意を得られるか分からないこと、そしてお金の算段など、キャリアナは悩みの全てをぶちまけた。お酒は大して強くないから次第に呂律が回らなくなってきて、キャリアナはついに涙を流し始めた。

「医者や薬も心配だけど、私が一番辛いのはね、いくらアレンを心配して色々やったりしても、アレンが一言も『ありがとう』って言ってくれないことなの。こんなにアレンのことを心配しているのに『ありがとう』の一言も無いなんて……」

言い終わらないうちに、キャリアナが手を滑らせてグラスを床に落とし、カシャーンという硬質な音がリビングに響いた。キャリアナが我に返り、私は掃除機で丹念にグラスの破片を吸い取った。酔いがすっかり醒めて、深夜の話し合いは終わった。


介護について、自分の母親の最後の日々を間近に見て、私は色々と考えさせられた。「老いるとはどういうことか」と一般論的に考えるのはある意味、易しい。しかし、「一体何ができるのか」と、自分の問題として引きつけて考えると、途端に答えに窮してしまう。母親が死に向かって少しずつ進んでいくのを見るのは忍びない。できることならどんなことでもしてあげたい。でも、自分には家族があり仕事があり、全てを受け止めることができない。いや、現実はそんなきれいごとでは済まない。「まだ大丈夫そうだから当面は放っておいても……」とか「子供は私だけじゃないんだから……」など、薄情かつ恩知らずのことを平気で考える自分に気づかざるを得ない。

そんな中で「ユマニチュード」と呼ばれる考え方に出会った。ユマニチュードの核にあるのは「お年寄りに寄り添い受け入れ肯定する」ことだと私は理解した。日本の「敬老」は基本的に平時のもので、しかも昨今は希薄になっているが、ユマニチュードは認知症がある程度進んだ段階でも、その不確かな認識を認め受け入れた上で介護に当たる。人間が老いていく、壊れていく現実を、肯定的に受け入れる。無為自然という思想に通ずるところがあるかもしれない。

自分の母親について当てはめてみると、私は老いていく母親のことより、介護する、と言ったって大したことはできていなかったのだが、やる側の自分のことばかり考えていた。もっと母親の声に耳を傾けてあげるべきだった。老いていく我が身と対峙し、信仰にすがり信仰を見失いかけた母親の気持ちの近くに、私はいなければいけなかった。

キャリアナは、ことあるごとにアレンを自宅に呼んで心を込めた食事を供したりして、娘として精一杯の世話をしている。でも、娘がいくら心配しても、おいそれとそれには従わないアレンの心がある。否定され指示されるから反発する、その反発心がアレンの自立をギリギリで支えている。ぐらぐらと、今はそれが崩壊寸前ではあるのだが。そして二人の心のずれが、それぞれのストレスになっている。日本に戻ってから私は何回かアレンに手紙を書いて、医者の診察と薬の必要、そして、キャリアナはアレンのことをこの世で一番心配しているんだよと伝えた。

ビクトリアの超高級ナーシングホーム。ホテル並みの設備だが、大切なのは勿論「寄り添う心」だ。

アレン、私は日本に戻ったら介護の仕事に携わるつもりだよ。色々な爺さん・婆さんに出会って面白い話が聞けたらどんなにか楽しいだろう。そんなふうに思うのは、アレンと出会ったことがどこかで影響している気がする。一緒に海に出るのはさすがに無理かもしれないけれど……、えっ？　なめるんじゃない。俺は今だって海もあっちも現役だって？　了解、了解。また一杯やりたいね、アレンの武勇伝を肴にね。

⒁ 決着はついたのか

この旅の目的の半分は「英語に決着をつける」、つまり、「英語が上手く話せるようになる」ことだ。そのために、長年続けた塾をたたみ、気合い十分で海を渡った。それなりにお金もかけた。さて、その顚末は如何に。

私の英語力は、三〇年英語を教えてきたから、受験英語の知識は十分だ。大学で英文学などを専攻したわけではないが、高二まで英語だけは真面目に勉強した。海外は何回か行った程度で、英語で外国の人たちとやりとりする経験はあまりなかった。日常会話はある程度できたがペラペラにはほど遠く、だから、英語の再挑戦は若い頃からの夢でもあった。三ヶ月みっちり勉強すればなんとかなるだろうと、高をくくっていたところもあった。

ビクトリアでは、私としては随分真面目に勉強に打ち込んだ。亡くなった母親が残してくれたお金で授業料を払ったから、テキトーにやっていたのでは化けて出てくる、否、罰が当たる、そんな思いもあった。授業は朝九時から午後三時半までで週五日。最初の二ヶ月は基礎英語（ＥＳＬ）コース、その後の三ヶ月はアイエルツ（ＩＥＬＴＳ）コースで勉強した。費用はコースによって少し異なるが、私の場合、月額およそ五万円。別に教材費が一万円。決して安くはない。私が通ったスプロット・ショー・ランゲージ・カレッジ（Sprott Shaw Language College 略してＳＳＬＣ）での勉強は以下のようであった。

クラス　大雑把ではあるけれど能力別、と言っても二段階程度の分け方。人数は五名から二〇名くらい。中南米・西アジア・東南アジア、そして中国・台湾・韓国からの生徒が多い。日本人は少数派だが、夏休みだけ学校単位で短期留学生が押し寄せるので、この期間は避けた方がいい。年齢は二十代が中心で、五十歳以上はまずいない。机は大きなコの字型に並べられ、好きな席に座る。授業中の飲食ＯＫ。トイレも勝手に行ってよし。

教え方　テキストまたはプリントを使って、説明と演習を繰り返す。アイエルツ対策として、毎週、リスニング・リーディング・ライティング・グラマー四科目のテストがある。スピーキングは授業中に始終英語を話さざるを得ないから、それで十分練習になる。テキストは、先生も含めて置きっぱなしが多い。テスト結果も先生の机の上に開いて置いてある。メキシカンなどは日常生活の中である程度英語に接しているからだと思うが、スピーキング・リスニングは難なくこなしているようで、真面目に勉強しているとはとても思えない若僧がリスニングテストで私の倍くらいの点数を取り、「キヨシ、気にするなよ。またチャンスはあるんだから」なんて励ましてくれて、笑顔でThank you. と返しつつ、勿論、腹の内は「クソッたれ」だが、こんなことが意外とモチベーションを支えていたのかもしれない。

生徒の様子　若者が多いせいもあって、全体に和気あいあいと楽しくやっているが、国ごとに固まりやすい傾向はある。また、固まりやすい生徒と、私のような一匹狼的なのが微妙なバランスで共存している。中国と台湾、日本と韓国の国家間の関係が若者の人間関係に影響しているか関心があったが、問題があるようには見えなかった。韓国の若者の日本観は、私が見る範囲では普通ないし好意的だった。私は韓国の子たちともよく一緒に昼ご飯を食べたが、韓国の真面目君とチャラ男君が、私の目の前で最近の「反日運動」について英語と韓国語半々で論争することがあった。私に気兼ねせずにがんがん本音でぶつかり合って欲しかったが、時間切れで中途半端のまま終わってしまった。ただ、それ以降、同じメンバーで食事に行くことはなかった。

勉強に対して全然やる気の無いのもいるし、中にはナンパしに来てるんじゃないかくらいのもいて、嗚呼、青春。親元離れて自由な外国だから、若いのからすりゃ、勉強だけしてろってのにそもそも無理があるのかも。五〇歳若ければ私だって……、ま、それは置いとくとして、恋のフェロモンは若者の留学生活でいつも隠し味のように漂っていて、おじさんにはそれは感知できないということなのだろう。

「年の差」は足を引っ張ったか　完全なアウェイの中だが、「年の差なんてどーってことない」と思って（「思うことに決めて」の方が正確かもしれないが）、国・性別・老若などを無視して幅広く人と接した。もしかしたら「浮いていた」ときがあったかもしれないけれど、気にしないことにした。年長者として周りの若者が気遣ってくれるときは、それをありがたく受け止めた。「年の差」は「使いよう」みたいなところがあって、自分がそれをハンディと思っていると一歩引いてしまうかもしれないが、私は「若僧に人生の何が分かるか」と思っているところがあるし、逆に、「年の差」をプラスに転化したと思う、年の功で。ただ、現実の勉強で、年齢から来る「覚えられない＋忘れやすい」は結構きつい。ガタの来た自分の記憶中枢が恨めしいばかりである。

皆の前でパワーポイントを使って発表するなど、パソコン弱者の私には二重三重の苦しみだった。自分が劣っていると自覚しつつ、皆の前に出て、苦手のパソコンを使って、下手くそな英語で発表するという「負」の塊のような経験は、「日本ではなかなかできるものではない」くらいに居直らないとやってられないというところもある。

ペラペラになるために必要な条件　一年という時間は必要だったかもしれない。私は間に四ヶ月帰国し、脳の中に少しだけできつつあった英語回路がスリープ状態になり、パソコンなら再起動で元通りだろうが、老兵の脳みそは容赦なく劣化していた。日本に戻って心身は休まったが、英語のことを考えると大きなマイナスだったと思う。連続的に学ぶこと、極力、日本語の回路をオフにすることが重要だ。

日本で習った英語はどの程度役立つか　リスニングやスピーキングでは後塵を拝してばかりだったが、グラマーはその逆だった。文法中心の日本の受験英語は、ライティングでは十分戦力になる。アメリカの大学で

バーニーが修了式で贈ってくれた言葉は一生の宝物だよ。

ＩＴを学ぶ日本人学生が担当教授に「君のレポートの英語は実に素晴らしい。どこでこんなに文法的に正しい英語を学んだの？」と問われ、「日本の予備校です」と答えた。その学生、実は私の昔の教え子で、「先生、受験英語は役立つって、生徒さんたちに伝えといてくださいよ」と熱っぽく語っていた。語彙力さえ身につければ、受験英語の文法は、特にライティングで大いに役立つはずだ。ちなみに彼は、日本の最先端のＩＴ企業で今も活躍している。

アラスカに旅立つ前、アイエルツのテストをビクトリアで受けた。リスニングとリーディングはまずまず、ライティングは「できた」手応えがあった。問題はスピーキングで、テーマが「ビクトリアの観光産業について述べよ」みたいな、私にとってあまり面白みの無いものだったので、自分がしゃべりやすいシチュエーションにアレンジして、でもスピーキング自体は比較的ペラペラやったつもりだったが、厳しい結果だった。総合点は九点満点で六弱。七点なら「決着をつけた」と胸を張れるが、精一杯の努力で得たものだから、「まず、よし」としている。

⒂ バンクーバー島北部への旅

基礎英語からアイエルツコースへ移行する時に上手く休みを作り、レンタカーを借りて、バンクーバー島北部への旅に出た。野生動物の危険の度合い・野宿・キープライトでのクルマの運転・トレイル（登山道）の状況・釣りなど、ユーコン・アラスカへの旅の予行演習も兼ねたものだった。

〈開拓時代〉

バンクーバー島は東北地方と同じくらいの面積で、州都であるビクトリアは長閑で平和そのものだけれど、北部は全然違う。一言で言うと「開拓地」だ。原生林を切り拓いて開発を進めてはいるが、全体から見たら、それは「つまみ食い」程度のもので、自然のスケールの大きさを前に、人々はただ手をこまねいているだけみたいなところがある。そんなバンクーバー島北部のそのまた西北の端に、ケープ・スコットという魅力的な名前の岬がある。人類で初めて南極点に到達してその直後に遭難した、悲劇のイギリス人探検家スコットの名を冠したその岬へのトレイルヘッド（登山道入り口）をめざして、私はクルマを木材搬出用の道に乗り入れた。こちらのグラベルロード（未舗装路）は果たしてどの程度のものか。カナダの地図とナビが信頼に値するものか。悪路走破性を誇るトヨタのピックアップトラックの実力を試してやろうという狙いもあった。

クマのフンを散見しながら三時間進んだところで轍が途切れ始め、道は急に細く険しく怪しくなってきた。普通に考えれば引き返すべきところで、「止めよう、戻ろう」の気持ちが半分あるが、残りの半分がクルマを停めさせない。もう少し進めば道が安定してくるかもなどと根拠の無い楽観論のまま山の斜面をジグザグに上がりきった先は尾根上の一本道で、轍はほぼ消えた。クルマから降り、辺りの様子を窺う。霧ではっきりしないが、斜面のはるか下にはきれいな谷川が流れているようだが、今は釣りどころではない。切り株の状態、轍、路傍の植物の倒され具合などからして、ここが伐採地であるのは間違いないが、最近はあまり伐り出しは行われていないようだ。そう言えば、幹線道路から分かれて以降、クルマを見たのは一台きりだった。「戻らなければ危険」とやっと考えがまとまった。だが、方向転換をするためのスペースが見つからない上、霧から本降りになった雨が不安をいや増す。切り返し場所を探しながら、ゆっくり前進するしかない。左右の深いブッシュが新車同然のレンタカーの側面を容赦なくこすって、キーキーコシコシと神経を逆撫でする音をたてる。「落ち着け、焦るな」と念じながら一キロほど進んだところでやっと切り返しのスペースを見つけた時、辺りはすでに暗くなっていた。

不慣れな異国、ブッシュ以外には何も無い原野の真っ只中で、獣の気配にビクビクし、「なんでここまで突っ込んでしまったんだ」と自責の念に苛まれながら、私は不安な一夜を過ごした。

翌朝、霧が晴れるのを見計らって迷路のような原野の道をなんとか抜け出し、昼前に最果ての町ホルバーグに着いた頃には、秋の空が気持ちよく広がっていた。今日はポートハーディーに戻る日だ。幹線道路から外れた林道を進んでいると、はみ出るような巨体を器用にくねらせて、決して広くはない道の分岐を木材運搬のトラックが曲がって来た。ディーゼルオイルと伐ったばかりの針葉樹の匂いが辺りに漂う。運転しているのは結構年配のオヤジさんで、日本なら「オラオラ、邪魔してんじゃねーよ」と怒鳴られるケースかもしれないが、オヤジさん、カーブの途中で巨体を停車させて、わざわざ降りてこちらに来るではないか。

「大丈夫か？　道に迷ってんじゃないのか？」

こっちは遊びでオヤジさんは仕事中なのに、私のことを案じてくれているのだ。
「そうか。男の一人旅ってわけか。ナニ、釣りもやってるってか。だったら町の手前の湖がいいぞ。俺はこんなにでっかいの、この前釣ったしな」
オヤジさんは顔中しわくちゃにして白い歯を出して笑った。

「おーい、道に迷ったんじゃねーか？」と心配して、オヤジさんはクルマを降りてきた。

〈足跡〉

トレイルヘッドにクルマを置いてサンジョセフ・ベイという浜辺に向けて意気揚々と歩き出した矢先、「ここにはオオカミがいる。各自、自己責任で気をつけるように……」の標識が目に留まった。「クマだけじゃないんだ。さすがバンクーバー島北部」と感動しつつ、「マジかよ、勘弁してくださいな」の思いも同時に湧き起きる。

トレイルはよく整備され道標もしっかりしているから道に迷うことはなさそうだけれど、西岸海洋性気候の針葉樹林は原始のままにうっそうと生い茂り、見通しが悪い。日本の山で何回かクマ公に出くわしたことはあるが、今の緊張感はその比ではない。数頭の群で獲物を襲う賢く残忍な獣。ああ、嫌だ、嫌だ。常に周りに気を配り、クマ鈴をジャラジャラいわせ、笛を吹き、勿論、腰には唐辛子エキスのスプレー装着だけれど、気持ちが全然落ち着かない。時々立ち止まり、変な音がしないか、臭いは大丈夫か、確かめながらの前進だ。引き返した方がいいんじゃないか。なんでオレ、いい年こいてこんなことやってんだろう。あーじゃこーじゃの思いが頭を巡り、でも不思議と足は止まらず、一時間ちょっとで木立の間から海が見えてきた。浜辺に出れば見通しがきく分、少なくとも森の中よりはマシってことで、ペースが速まる。

森が途切れて、目の前に広々とした砂浜が開けた。あっけなくサンジョセフ・ベイに到着したのだ。低い波が遠くでザブンと音を立てて、本来なら心地よい音だが、今は不気味に感じられる。まず、砂浜全体を見渡す。大きめのイヌみたいのとか、黒い塊がどこかでもごもご動いてたりしないか、じっくり眺める。双眼鏡を取り出して、さらに細かくチェック。とりあえず大丈夫のようだ。人の気配も全く無い。手持ち無沙汰のまま、川の流れ出しの方になんとなく歩いて行ったら、

「ん？　なんだろ、これ。どう見てもこれはあれじゃないか」

砂地に印されたそれは、足指の長さと足裏が狭く細長いところからしてクマのものではない。誰かが大型犬の散歩に来たなんてのは……あり得ない。近くに人家は全く無いし、人の足跡は辺りに皆無である。注意して見ると、そこいら中に同じものがある。一頭ではないようだ。二頭かそれ以上か。これ、やばいんじゃないか。双眼鏡で、遠いところまでもう一度チェックする。

くっきり印された二筋の足跡にはっきりした意志が読み取れる。

　足跡が物語るものは何なのか、気持ちを落ち着けて推理してみる。海岸という環境から考えて、足跡の主はこの地域に固有のシーウル

フの可能性が大きいだろう。であるなら、普通のオオカミに比べて個体は小さめのはずだ。足跡が川の流れ込み周辺に多いことからして、流れの中の獲物、例えば遡上するサーモンでも狙っていたのか。今は遡上シーズンではないが、ちょっとはぐれたようなヤツが上がってくる可能性だってあるだろう。それとも、何か食べ物が無いか、自分たちのテリトリーの定期的なパトロールみたいなものか。足跡の数や形を冷静に観察すると、群というほどの個体数ではないかもしれない。せいぜい二、三頭の小集団か。もしかしたら、彼らは私が浜に出る前にこちらの存在をキャッチして、先に姿を消したのかもしれない。再度、遠くのブッシュまで双眼鏡で入念にチェックする。大丈夫だ。彼らが遠巻きに私の様子を窺って、攻撃のタイミングを計っている可能性は無いようだ——ここまで考えたら、気持ちがやっと落ち着いてきた。

自分は今、カナダのウィルダネスの最前線に身を晒している。だから、この状況はなるべくしてなったというか、当たり前とも言える。そもそも、私は混じり気の無い自然を求めてここまでやって来たのだ。であるならば、この足跡は私が望んでいたものそのものではないか。砂地に腰を下ろし、心地よい潮風を頬に受けながら、そんなことを、時折辺りをキョロキョロ見渡しながら、取り止めもなく考えていた。

た。

〈**漂流物**〉

シーウルフの砂浜で、実はもう一つ、普通では考えられないようなものに出くわしていた。

誰もいない砂浜をあてどなく歩いて、大きな流木のところでザックを下ろして一休みした。海藻やら貝殻やらがあちこち目につくだけでゴミは無いようだ。そうだよなあ。アラスカも間近のここまで来て、ゴミが目についたり人の足跡だらけだったりしたら世も末、なんて考えながら、でも、視界の隅に青い色をした妙なものがあるのに気づいた。プラスチック製の、あれはパレットと言うのだろう。倉庫や市場などで物を運ぶとき、荷物を上に載せ、フォークリフトのアームを下に差し込んで運搬するやつ、それがあるのだ。近づいてみる。表裏が逆さになって少し砂に埋もれ、表面も角も海水に洗われてすり減っているその側面の文字を見て驚いた。はっきりと漢字で「南三陸市場」とあるではないか。

最初、私は、見てはいけないものを目にしてしまったと思った。このパレットは、津波

日本からの海流を考えれば、こういうこともあり得るのだろうが……。

に襲われるちょっと前まで、南三陸町の市場で当たり前のようにその役割を果たしていたに違いない。誰かがフォークリフトを操り、このパレットで、恐らくは海から水揚げされたばかりの魚を運んでいたのだろう。フォークリフトの操縦者は言うに及ばず、その時、その場にいた人々、ごく普通に声をかけ合いながら仕事をしていた人たち、その人たちの無念の思いが、この、古びて傷だらけのパレットに乗り移っているように私には感じられた。いかにも「打ち捨てられた」という言葉が相応しいその姿が、海の底からの叫び声のように感じられた。

とてつもなく大きな地震だった。想像をはるかに超える津波だった。多くの人々のかけがえのない命が奪われ、その後長期にわたって、福島の原発事故も含めて、日本全体が喪に服した。この青いパレットは、それが紛れもない事実であることを、七年経った今、改めて突きつけている。と同時に、人々を一瞬にして葬り去ったのと同じ自然が、一枚のパレットを、故郷を離れて八〇〇〇キロのバンクーバー島の人気の無い穏やかな浜に運び上げ、パレットは今こうして、ひっそりと砂に埋もれて体を休めている。

そこまで考えて、私は「見てはいけないもの」と受け止めた自分の心がひどく不自然で、よじれていることに気づいた。事実は一つしか無い。時間は関係ない。自然はいつもどこまでも、あるがままだ。

⒃ カナダ東部への旅

カナダに来て最初のうちは時の経つのが随分まどろっこしく感じられたが、勉強も日常生活も軌道に乗り、沢山の友達ができ、日本のことが遠く小さく感じられるようになり、時の進みなど気にも留めなくなった。でも、一家の主人が半年も家を空けていれば、色々な用事がそれなりに溜まっているはずだ。体のメンテナンスもある。ここらで一息つくのも悪くない。それではと、正月をはさんで一時帰国することにした。普通に帰るのではつまらないから、カナダ東部とアメリカに寄り道して。

カナダではどんなものにも英語とフランス語の二言語表記で、東部はフランス語の勢力が強く、中には、英語とフランス語の両方を公用語にしている州もあるらしい。なんて膨大な無駄をしているのだろう。国民投票でどちらか一つに決めてしまえばいいのになどと以前は乱暴に考えていたけれど、やはり、それなりの理由、歴史があるに違いない。まずは行ってみる。感じてみる。そして考えてみる、なぜ二つの言語なのかを。

ビクトリアからバンクーバーまではフェリーで渡り、オタワへは飛行機、オタワからケベックは、前から乗りたいと思っていた大陸横断鉄道によった。日本の鉄道はホームと列車の入り口が同じ高さだけれど、こちらはホームが線路と同じ高さだから、簡単な階段を数段上らないと列車に入れない。映画などでよく目にするが、一回、あの階段を経験してみたかった。

カナダの首都であるオタワの空港に着いた時、すでに辺りはとっぷりと暮れていた。初めての北国の冬。一体どれくらい気温が下がるのか。零下せいぜい一〇度までしか経験の無い身には興味をそそられつつ、用心しなくちゃとも思う。タクシーを待つ間にもぐんぐん冷え込んでいき、ようやっとタクシーを捕まえ、サンタクロースがどこから出てきてもおかしくないような住宅街を抜け、安ホテルに着いてヒーターで体を温めたら急に腹が減ってきた。時刻は十時。外の気温はさらに下がっているようだ。腹ぺこのまま零下の町で迷子になるのはちょっと勘弁だからと近場のレストランに飛び込んだら、なんとメキシコ料理の店で、ま、いいか。窓際の席に着き、夜の町の様子を眺める。こんこんと雪は降り続き、人影はまばらだ。ガラス越しに見る遠くのネオンサインが滲んで、これが氷点下の世界か。大きめのチキンと、せっかくだからテキーラも所望し、なんともアンバランスな雪見酒を楽しんだ。

次の日は朝から晴れ渡り、市場を散策の後、数年前にテロリストに襲撃されて厳重警戒下の国会議事堂を見学した。帰り際、近くの温度計は氷点下二〇度を示していた。「零下三〇度になると、リドー運河を凍らせたスケートリンクが開設されるよ」とは昨夜のタクシーの運ちゃんの言。カナダ人にはこの程度の寒さはどうってことないのだろう。

大雪の中をひたすら走り続けた大陸横断鉄道の列車がケベック駅に滑り込んだ。小雪舞うオタワ駅を出発した時、列車内でフランス語はちらほら聞こえるくらいだったが、途中駅で乗降を繰り返す内に英語とフランス語が半々になり、英語だけで精一杯の私は、耳に届くフランス語をＢＧＭに雪原を眺め続けた。ケベック州に入った頃には吹雪と言っていいほどの降りになり、遠くの林も近くの草原も白にまみれて区別がつかない。ホワイトアウトとはこういうものなのか。やがてフランス語優勢になり、ケベックと思しき町の明かりが遠くに見えてきた。

約束の十時になっても迎えのクルマは来なかった。フランス語圏ゆえ、英語が正確に伝わらなかった可能性を考え三〇分待った。カナダ人の時間感覚はこんなものかと、さらに三〇分我慢した。我慢はしたが、腹が猛烈に立ってきた。昨夜遅くにホテルに着き、私は以前から楽しみにしていた犬ぞりツアーを予約していたのだ。ツアーを紹介してくれたホテルの受付に遅ればせながら文句を言って、十二時になってようやくクルマがやって来た。この二時間をどうしてくれるんだと英語で文句を言うつもりだったが、迎えの運転手に開口一番、Sorry. と言われて戦意が失せた。

氷と水が半々で流れるセントローレンス川沿いをクルマは付かず離れず走り続ける。二百年前、英仏の軍隊が相まみえたエイブラハム大平原は見渡す限り雪に覆われ、天と地の境さえあやふやだ。ちっぽけな人間の一時の苛立ちなんてどうでもいいじゃないかと諭すように。

ヒュッ、ヒューーイ、ヒュッ、ヒューーイ――雪原に軽やかに響き渡るマッシャー（犬ぞりの御者）の声の他に聞こえるのは、そりが雪面を滑る音とアラスカ犬の息遣いだけだ。時間がずれたおかげで、爽快な単独走行になった。

ケベック娘の軽やかな声が疎林に明るくこだまする。

「お客さん、あんたはラッキーだよ。午前中は渋滞のノロノロ運転だったんだから」

ソリを操るのは地元の高校生。見るからに健康で、犬と犬ぞりが大好きなケベック娘だ。

「お客さん、もしよかったら、マッシャーやってみる？　手綱持って、『右に』、『左に』、『止まるな』って言うだけ。英語でＯＫだし」

私がマッシャーになっても、犬たちはなんの文句も言わずに走り続ける。走ること自体が喜びのようだ。

「次のカーブは急だし小枝がせり出てるから、体傾けて」

ケベック娘の好リードのおかげで、即席マッシャーは林中のそり道を軽快に走り抜け、無事、ロッジに戻ることができた。「お客さんも犬好きみたいだから、私のお気に入りを紹介してあげるよ」と言って、彼女は一番可愛いワンコ、最も尊敬するワンコを、ざっと二百頭はいる犬の間を縫って紹介してくれた。

遅刻のおかげで雪原独占の犬ぞり体験ができ、私は大々満足だった。ところがマスターは支払いの段になって「ノー、ノー」と代金を受け取ろうとしない、「こちらのミスで待たせたからタダ」とか言って。でも、この楽しさがタダではあまりに申し訳無いし、こちとらも江戸っ子の端くれだから、一度出したお金を易々と引っ込めるわけにもいかない。

「それじゃ、チップならいいね」

私は一〇〇ドル紙幣をチップ用の小瓶にねじ入れて帰りのクルマに乗り込んだ。

それにしても、あそこでぶち切れなくてよかった。車窓のエイブラハム大平原には、冬の陽が真横から穏やかに差し込んでいた。

⒄ アメリカへの旅

アメリカは、良い意味でも悪い意味でも、世界で一番の国だと思う。若い時から一度は行ってみたいと思っていたが、努力が足りず、チャンスもなかった。でも、六〇歳をとうに過ぎて体力・視力ともガタが来た私にアメリカはどんなふうに映るのか。それではと、自分なりのやり方で私はアメリカを訪ねてみることにした。

〈透明感とダイナミズム〉

半世紀前にサイモン&ガーファンクルというフォークデュオがいた。ハードロック全盛の時代、アコースティックギターと透き通るような二人のハーモニーが人々をホッとさせた。恋人同士が人生の意味を求めて旅に出るみたいなことを歌った『アメリカ』という曲が彼らにあって、その中の一節、

"Kathy," I said as we boarded a Greyhound in Pittsburgh,
「キャシー」、僕はピッツバーグでグレイハウンドに乗る時に言ったものさ

"Michigan seems like a dream to me now"
「今となっては、ミシガンは夢のようなとこだったね」
It took me four days to hitch-hike from Saginaw
サギノーから四日かけてヒッチハイクしてきた
I've come to look for America
アメリカを探すためにね

こんな純情はとうの昔に忘れてしまったけれど、ボストンから最後の目的地・ニューヨーク入りするのに、私はグレイハウンドのバスを使った。

ニューヨーク滞在五日目。ブルックリンの安宿へ戻ろうとしてマンハッタンの地下道を歩いていると、突如、女の力強い歌声が耳に飛び込んできた。

Looking out on the morning rain
窓の外、朝の雨を眺めていても
I used to feel so uninspired

やる気なんて起こりゃしない

鳥肌が立って、私は歌声の主に向かって一直線に進んだ。勤め帰りのニューヨーカーが足早に行き来する一角に人だかりができていて、その真ん中に、体格のいい黒人の女の人が、CDから流れ出る音に合わせ、キャロル・キングの名曲を歌っている。

And when I knew I had to face another day

それでも、今日という一日をやり過ごさなければならない

Lord, it made me feel so tired

うんざりするけれど

歌に合わせて踊り出す人もいる。日本人がやるような決まり切った体の動かし方ではなく、音に、曲に、言葉に自分の魂を重ね合わせて、勝手に体が動いている。曲が進むにつれ足を止める人が増え、人だかりが大きくなってきた。

Before the day I met you, life was so unkind

あなたに会うまでの暮らしはどうしようもなかった

But you're the key to my peace of mind

でも、あなたは心の安らぎに私を導いてくれた

'Cause you make me feel like a natural woman

そのままの自分が一番なんだって教えてくれたのだから

粗末なＣＤプレイヤーとマイクなんだろうが、歌声は私に向かって襲いかかってくるような迫力だ。ふたの開いたギターケースにお金を投げ入れ、私は女の歌声を全身で浴びることにした。

この曲は、オバマ大統領の就任式で黒人女性ボーカルの大御所であるアレサ・フランクリンが歌ったことでも有名だ。初めての黒人大統領誕生に、アメリカのみならず世界中が沸き立ち、アメリカの民主主義のダイナミズムここにありと、テレビの画面を見て私も快哉を叫んだものだ。時が経ち大統領も入れ替わったが、アメリカの黒人たちの心の中には、歴史が動いた時の高揚が今もこの曲とともにあり続けているに違いない。

〈二人のジョン〉

近・現代において、アメリカほど戦争をしてきた国は無いだろう。第二次世界大戦以降の大きなものに限ってみても、朝鮮半島、ベトナム、ペルシャ湾岸、アフガニスタン、イラク……、地球上のどこにでも、アメリカは圧倒的な兵器と兵力を惜しみなく投入するけれど、どんなに軍事的優位に立とうとも戦死者は必ず出る。だから、国を挙げて戦争で命を落とした人たちを弔う。

ワシントン郊外のアーリントン墓地は、そんな戦死者が眠るところだ。同時多発テロで攻撃されたペンタゴン（米国防総省）は厳重な警備だったけれど、アーリントンはあっけないほど簡単に私を迎え入れてくれた。同じ形と大きさの墓がどこまでも整然と並んでいる。墓標の表には氏名・生年月日・軍隊の位・没年月日・享年などが記されているが、妻と思しき名前が裏面に刻まれているのもあった。アメリカという国家が信じる「自由と民主主義」、それをそのままアメリカ的なやり方で形にしたような墓だった。

アーリントン墓地の一画には、ジョン・F・ケネディが妻ジャクリーンとともに眠っていた。さすがにそこだけは他と別区画だったが、決して偉ぶることなく、慎ましやかな墓だった。ケネディは、二次大戦以降のアメリカで最も人気があったと言われる大統領で、キューバ危機を乗り切り、さらに大きな仕事をしてくれるだろうと世界中が期待している最中に暗殺されてしまった。あまりにも悲劇的であったし、国籍や人種にかかわらず、世界中の人々が驚き嘆き悲しんだ。そんな彼の有名な言葉に「国があなたのために何をしてくれるかを問うのではなく、あなたが国のために何をなすことができるのかを問うてほしい」というのがある。アメリカとソビエトが世界の覇権を争って、核兵器を使うことも辞さない緊迫した状況の只中にあって、苦悩しながらも活力を失わないアメリカの息遣いが聞こえてくるような、そんな言葉である。

ニューヨークのマンハッタンのど真ん中にあるセントラルパーク、そこにもう一人のジョンの歌碑がある。何年か前の日本の英語の教科書に、「国の無い世界を想像してごらん……」で始まる『イマジン』の歌詞が掲載された。この曲を書いたのがジョン・レノン、ポップス界に革命を起こしたビートルズのリーダーだった男だ。半世紀前、世界中で若者が平和を叫んでバリケードを築き、それまでは本の中に眠っていた「革命」という言葉が熱を持って語られた。「伝統や権威がどれだけ自由を奪ってきたか考えてみろ」、「政府も大学も全部嘘っぱちだからぶっ飛ばせ」、「新しいものを築くためにぶっ壊せ」。暴力的で刹那的な若者の声が世の中に響き渡った。アメリカでも、フランスでも、日本でも、若者は暴れまくった。そんな時代に、ジョンは自由を叫び、語るような口調で愛と平和への願いを込めて『イマジン』を歌い上げた。

ジョンのモニュメントがある一帯は、彼の代表作の曲名に因んでストロベリーフィールズと呼ばれている。本当のストロベリーフィールズは、彼が子供の頃よく遊びに行ったリバプールの孤児院裏の空き地のことで、母親に捨てられたジョンにとって、そこは友達と遊び寂しさを忘れさせてくれる「聖域」だったという。セントラルパークのそれは静けさとは無縁で、世界から集まってきた観光客が、イマジンの歌詞を刻んだモニュメントを背景に代わる代わる写真を撮っている。ジョンもすでに歴史になってしまったのだ。私はジョンと妻のヨーコが住んでいたダコタハウスに場所をかえることにした。公園から徒歩一〇分とかからないが、賑やかな人たちの姿は見当た

歴史を感じさせる美しい建物だけれど、
私にとっては悲しい場所でしかない。

らない。ジョンは、実はこの高級マンションの門の前で凶弾に倒れた。音楽で苦しみ、生きることで苦しみ、やっとのことでごく普通の家庭の幸せを手に入れたのも束の間、子供の成長を最後まで見届けることかなわずに逝ってしまった。

一人のジョンは大金持ちの息子で、アメリカ東部エスタブリッシュメント出身。キューバ危機を頂点とする冷戦、そして泥沼化しつつあったベトナム戦争の時代のアメリカの若きリーダーであった。もう一人のジョンはイギリスの地方都市リバプールに生まれ育ち、反戦を唱え愛と平和に生きようとした若者のリーダーだった。二人ともアイルランドにルーツを持つが生い立ちと生き方はまるで正反対で、体制と反体制それぞれの象徴のような二人のジョンが、最後はともに凶弾によって人生を瞬時に止められたのは、なんと言えばいいのか。あまりにもアメリカ的であり、私にはそれ以上言いようがない。

〈女神とミッキーの住む都〉

観光名所は元々苦手だけれど、これだけは見ておこうと思ったのは「自由の女神」と「エンパイアステートビル」だった。

地下鉄駅からフェリー乗り場まで歩く途中で、あのお馴染みの形と色のスタチューがニューヨーク港の沖合に見えてきた。フェリーが岸を離れ、強風に負けじとカモメが周りを忙しなげに飛び交う。振り返ると、マンハッタンがなんだかこぢんまりしている。超高層ビルが林立し、土地の値段は恐らく世界で最も高いだろう。世界中から様々な肌の色の人間が、アメリカンドリームを求めて蝟集する。金、権力、名誉……、あまたの欲望が渦巻くその中心が意外と小さく、可愛らしく見える。

女神がいよいよ間近になってきた。雨上がりの抜けるような青空をバックにそびえ立つ女神は力強く、美しい。ワシントンで私は博物館や公園を巡り、アメリカの戦争の歴史を辿ってみた。主だったものだけでも、一次大戦、二次大戦、朝鮮戦争、ベトナム戦争、アフガニスタン、湾岸戦争……、アメリカはいつも世界のどこかで戦争をしている。そして、それぞれの戦争について、どんな戦いであったか、戦死者はどれくらいだったか。自国民は勿論、そこを訪れる外国人訪問者に対しても、はっきりと分かりやすく説明する。そして、高らかに宣言する、「我々は自由のために戦ったのだ」と。

女神の穢れの無い顔と右腕で高く掲げられた松明。そこにはなんの説明も無いけれど、アメリカという国が最も重んじ、彼らの存立基盤と言える「自由」を形にして、ニューヨーク港の入り口、家で言ったら玄関先みたいなところにドンと据えた。アメリカは自己主張が実にはっきりしている。

歴史が浅い移民の国である。奴隷制という暗い過去もある。経済と軍事がいくら強大になっても、ヨーロッパに対してどこかで引け目を感じている。このままではいつまでたっても流れ者の寄り合い所帯じゃないか。皆をまとめるものが欲しいな、などと考えていた百年前の為政者たちの頭の中にピカッと閃いたのが、ヨーロッパ生まれの概念である「自由」を形にすることだ。そして、独立記念にフランスから贈られた女神像に、簡潔で親しみやすく分かりやすいメッセージを込めた。肌の色が違っていても、金持ちも貧乏人も、男も女も、若者も年寄りも、自由はだれにでも受け止めやすいはずだ。アメリカは実にセルフプロデュースが上手い。

ニューヨーク港を吹き抜ける風に負けないように体を斜めにして、アメリカ独立の往時に想像を巡らしながら、私は女神の周りの遊歩道を歩いた。

エンパイアステートビルは、超高層ビルが集まるマンハッタンのど真ん中にあった。地下鉄を降りて地上に出ると、こちらもまた写真や映像で見慣れた造形がすぐに目に飛び込んできた。大勢の観光客に交じって行列に並び切符を購入。矢印の通りに通路を移動し、指定のエスカレーターで展望階にたどり着いた。高いところから遠くを見る。雲がだいぶ出てきたけれど、それなりに見えた。あと何十ドルか払えば最上階まで行けるみたいだがやめといた。記念写真の有料サービスもあったが自撮りで十分。トイレだけ済ませて、私はそそくさと天下の観光名所を後にした。エンパイアステートビルの名は世界に知れ渡っているけれど、単なるのっぽの商業施設、そんなところだった。これが建てられた百年前だったら大感動なのだろうけれど、今はこれくらいの超高層は珍しくない。昔売れてた歌手が、名前だけで客を集めてライブやってるみたい。その割に入場料、高かったが。

ビルの近くの歩行者天国で、ミッキーとミニーが観光客と肩を組んで写真を撮っているのに出くわした。私の妻が大のミッキーファンだからちょっと羨ましがらせてやろうと思って、私も肩組んで写真を撮った。最初はミニー、次にミッキー。Thank you so much! と言って去ろうとしたら、ミッキーが私に向かって掌を突き出すではないか。えっ、何、これ？「逃げるが勝ち」と思う間もなく、前にはミッキー野郎が立ちふさがり、逆方向と思ったら、そこにはミニーババアがすでにいる。Twenty! とか言って、ふざける

女神を前にすると、欲望渦巻くマンハッタンが可愛らしく感じられる。

な！　だ。さっき、一緒に写真撮ってた観光客はサクラだったのか。ということは、仲間が集まってくるかもしれないぞ。コンチキショーと思いつつ、私は二〇ドル札で分厚くなった財布から五ドル札を一枚だけ素早く抜き出し、パッと渡して、サッと立ち去った。後ろでなんか文句を言っているようだが、知るかってんだ、ムカつくぜ。

　午前中は「自由」や「国家」について考えた。午後は高いところに上がれば遠いところまで見えるというのを高い授業料を払って学び、ついでにチンピラにひっかかって五ドル巻き上げられた。嗚呼、ここはアメリカ、ここはニューヨーク。いい勉強になった。

〔アラスカ編〕

■旅程②（アラスカ編）

2019.4.11	成田→バンクーバー→ビクトリア
4.15	授業再開
5.10・11	SSLC 終了・IELTS 検定テスト
5.15	ユーコン・アラスカへの旅に出発
5.29〜6.1	ベラベラでタマに会う
6.5〜11	スチュワートへクマ探し
6.15〜17	ケノヒル
6.18	ドーソン
6.21〜7.1	デンプスターハイウェイ
7.3〜5	ケノヒル再訪
7.7	フェアバンクス
7.13〜15	チェナホットスプリングス
7.17〜22	ダルトンハイウェイ
7.28〜30	ビーバー（フランク安田の墓参り）
7.31・8.2	アラスカ大学訪問
8.7・8	デナリ氷河のフライトビューイング
8.9	アンカレッジ
8.12〜15	ノーム（ベーリング海峡）
8.19〜24	アリューシャン・ウナラスカ島
9.2〜6	インサイドパッセージの船旅
9.7	シアトル
9.14〜21	バンクーバー島北部への旅
10.3	バンクーバー→シアトル→東京

⑴ 旅のあらまし

「年相応」から何歩か踏み外した、自分らしい手作りの旅をする——これが私の旅のコンセプトだ。

カナダのビクトリアでホームステイしながら英語を勉強する間、少しずつ旅の準備を進めた。ホストファミリーが出かけて一人で留守番をする休日は、旅の計画を練るのに絶好の時間だった。計画を立てる時から、実は旅が始まっている。手間のかかる料理をしながら好きな音楽をかけ、大きなテーブルに本やら地図やらを広げて、じっくり考えた。持参した数冊の本以外は全て英語で書かれているから理解に手間取ったが、「これこそ、生きた英語の勉強だ」と痩せ我慢した。資料に目を通し、グーグルで調べまくり、重要な情報は『アラスカノート』に書き写した。地理と歴史の知識は旅を成り立たせる重要な要素だからなんて偉そうに言っている割にカナダやアラスカの歴史についてろくすっぽ知らないことに気づき、「にわか」でもなんでもいい、少しでも多くの情報と知識を大急ぎで頭に詰め込んだ。

周りの人たちは私が一人でアラスカに行くと言っただけで、「へえー」とか「すごいですね」、「なんでまた」、「大丈夫ですか」なんて言う。クマやオオカミは確かに多いだろうけれど、アラスカにだって人は普通に暮らしているし、私はそこに、ちょいとお邪魔するだけじゃないか。そんな、大仰に考える必要無い。無いと思う。でも、まあ、アラスカはやっぱアラスカだなとも、ちょっと感じる。どんな場所なんだろう。どんな人たちと出会うんだろう。アラスカにはどんな暮らしがあるのかな。

何が起きても大丈夫なように綿密な準備を進める、現実はそうならないと分かっていても。

計画やら勉強やらの一日の作業が終わり、想像のアラスカを肴に一人静かに飲むカナディアンバーボンの味は、これまた格別であった。

登山用具・フライフィッシング・カメラ・自炊道具・春夏秋の服など、人一倍荷物が多いから、移動の基本はクルマだろう。じゃあ、どうやって調達するか。中古車も検討したけれど、アラスカ行きを承諾してくれた唯一のレンタカー会社のエイビスでレンタカーを借りることに決めた。車種の選定は「快適に車中泊ができるかどうか」が肝だ。ホテルに泊まり続けていたらあっという間に資金が底をついてしまうし、そもそも宿泊施設が無いところにも行くのだから、あらゆる状況に柔軟に対応できなければいけない。テントは勿論持って来ている。ただ、ブラックベア（日本のツキノワグマ）ならいいのだが――さらっと書いたけれど結構タイヘン、グリズリー、日本で言うところのヒグマがアラスカには普通にいるらしい。テント泊はグリズリーの危険が絶対無いところに限定し、少しでも可能性があるところは車中泊、そして町ではモーテル・イン・キャビン・RVパークなどに泊まる。クルマに求めるものは、セカンドシートを倒してフルフラットにしたときに段差ができないこと――そうでないと体を伸ばして寝られない、悪路にへこたれず走ること、トラック型よりもワゴン型――クマ公が出たとき、トラックの荷台で寝ていたのでは生きた心地がしない、などが絶対条件で、荷物がたっぷり積め、燃費がよければさらによし。結局、ジープ社のグランド・チェロキーに決定。レンタル料はクルマ保険付き（自損事故も含む。実はこれが後々大きな意味を持つことになる）でウン十万円弱。最新のナビ付きで走行距離四〇〇〇キロちょいの新車同然を四ヶ月、走行距離制限は一二〇〇〇キロ。車中泊すればするほどホテル代が浮く計算だから、決して高くはないと私は判断した。

条件にかなうクルマを手に入れ、トレーニングも兼ねてバンクーバー島北部を周った。以前にも来たことがあるが、知っている場所と初めての場所を半々にして、体と心を少しずつ旅バージョンにしなくてはいけない。どのくらいのペースで旅すればいいか。六七歳の肉体は果たしてどの程度無理が利くのか。気がかりだった歯やお尻はいい状態を保っている。テキトーな食生活を続けていると日本では胃腸がすぐ音を上げるが、これも大丈夫。「病は気から」が良い方に作用したのか、これからのハードな毎日を予想して消化器系が忍耐強くなったのなら御の字である。

旅の大まかな予定は次のようになった。風に吹かれての呑気な一人旅だから予定はあって無いようなものかもしれないが、やはり、旅には一定の指標があった方がいい。

【五月】ビクトリア➡ポートハーディー〈by クルマ〉予行演習を兼ねてバンクーバー島北部を巡る

⑴ 旅のあらまし

【六月】ポートハーディー↓ベラベラ〈by フェリー〉↓ハートリーベイ〈by フェリー〉スピリチャルベアにご挨拶 or スチュワート〈by クルマ〉クマ撮影↓ホワイトホース〈by クルマ〉↓ドーソン〈by クルマ〉↓イヌビク〈by クルマ〉↓トゥクトヤクトゥク〈by クルマ〉北極海を見る↓フェアバンクスへ移動〈by クルマ〉

【七月】〔フェアバンクス拠点〕プルドーベイ〈by クルマ〉or ポイントバロー〈by 飛行機〉北極海を見る↓ビーバー〈by 飛行機〉フランク安田の墓参り／チェナホットスプリングス〈by クルマ〉温泉に浸かる／デナリ最前線登山基地訪問↓アンカレッジへ移動〈by クルマ〉

【八月】〔アンカレッジ拠点〕カトマイ〈by 飛行機〉世界最大級の活火山の見学 or コディアク〈by 飛行機〉グリズリーのサーモン捕り撮影／アリューシャン〈by 飛行機 or 小型船舶〉第二次世界大戦の日本軍の戦跡を見学／ノーム or シシュマレフ〈by 飛行機〉ベーリンジアを感じる

【九月】アンカレッジ↓ベリングハム〈by フェリー〉↓シアトル〈by クルマ〉↓ビクトリア〈by クルマ・フェリー〉レンタカー返却

条件に見合うクルマを手に入れ、運転教官を半日雇ってこちらの交通ルールの基本を身につけた。交通標識は国際基準だから日本とほぼ変わらない。ただ、こちらはキープライトだから、まずそれに慣れないといけない。それ以外に違うところは「右折するときに、信号が赤でも自己判断で右折していい」くらいか。そして、実際の道路に慣れるために、試しドライブを数回繰り返した。旅の大まかな予定を『アラスカノート』に清書し、表紙には「人々・人生・歴史・文化・生活・家族・普遍性」と大きく書いた。

最後に、道中の注意事項みたいなものを考え、「旅の心得」として、クルマのダッシュボード上に目立つように貼り付けた。これをいつも心に留めておけば、うん、この旅は多くのものを私に与えてくれるに違いない。

- 安全第一。適度に休息日を設ける。疲れと眠気を堪えての長距離ドライブ厳禁。
- 予定に縛られない。心の自由、そして探究心を失わない。
- しっかり食べ、しっかり寝る。つまらないところでケチらない。
- 最果てを実感する。
- 亡き母が背中を押し、妻が快く認めてくれた一生に一度のチャンスを無駄にしない。

⑵ ベラベラのタマ

滑走路脇のフェンスでニャーンと声がして、タマが現れた。

私は今、カナダ・バンクーバー島から二五〇キロ離れたデニーアイランドのベラベラという小さな村にいる。『グレート・ベア・レインフォレスト』と呼ばれる野生動物の宝庫みたいなところに、クロクマのシロクマ化したのがいると聞いてやって来たのだ。白化型、いわゆるアルビノのことだが、土地のファーストネーション（先住民族）の人たちは『スピリチャルベア』と呼んで神様のように大切にしているらしい。アラスカ行きを前にして、「スピリチャルベアに旅の安全祈願を」なんて思いついたものの、村人幾人かに尋ねたら、「この島にスピリチャルベアはいないよ」とか「どうしても会いたいんならハートリーベイに行くしかないね、確実に見れるかどうかは分からないけど」と返ってきて、あっさり当てが外れた。二日後のフェリーまで、途端にやることがなくなってしまった。

村の中心と思しきところには埃っぽい広い道が一本通っているけれど、店らしいのはマーケットが一軒だけ。他には郵便局、閉じたまんまの観光案内所など。周辺には学校と雑貨屋みたいの、何を売っているのか、あるいは営業しているのかどうかすら分からない建物が数軒。ホテルが見当たらないから、車中泊するしかない。土産物屋や食堂も無い。さて、一体どうやって時間を潰すか。午前中は道ばたに座って行き交う人々、と言ったって大勢いるわけではなくて、観察していると、何の用事があるのやら、同じ人が何回も行ったり来たりしてて、きっと暇なんだなぁ……、そんな様子を見るともなしに眺めながらぼーっと過ごし、時折、イヌが近づいてきてワンワンうるさい。昼からは村外れの貯水池みたいなところで時間をかけてインスタントヌードルを食し、人工なのか自然なのかよく分からない景色を眺め、シュラフ（寝袋）を干し、ベラベラに里帰りに来たイヌイットのオッサンとちょっとの間話し、やっとのことで夕方になり、さて……、そう言えば飛行場があったな。「じゃあ行ってみるか」と訪ねたのがこの小さな飛行場だった。

おう、タマ。暇そうだな。オマエは英語じゃなくてもいいのかな。んなら、ちょっくら相手してやっか。ほら、もっとこっち来なさい、ゴハン分けてあげるから。タマは私が作った焼きそばを半分食べ、半分残してどこかへ消えた。おお、そうか。半分は東洋の血が流れているってことだな。それじゃ、お近づきの印にビールでも飲むとするか、私だけ。プシュ、グビッ、旨い、あまり冷えていないけれど。つまみにあれ開けちゃうかな。旅の安全を願って、ちょっと贅沢だけれど。私はとっておきのオイルサーディンの缶詰をダンボール箱から探し出し、ちょっぴり醤油を垂らしてキャンプ用コンロで温めた。

焼きそばには大して感謝もせずに姿をくらませたタマは、醤油の焦げる匂いにつられてすぐに現れ、ニャーと鳴くじゃないか。分かったよ。じゃあ、おすそ分けな。私は大ぶりのサーディンを一切れ、タマにあげた。

「どうだ、旨いだろう」

なんだかあんまりスピリチャルじゃないが、ま、いい。

「オマエの家はどこかな？　飛行場で飼われてるのかな？」と尋ねながらもう一切れ。

見た目はいかにも日本のネコなのだが。

「オレは日本からやって来て、これからアラスカに行くんだ。オマエ、アラスカって知ってっか？　食べ物じゃないんだぞ。オレもアラスカ初めてだからよく分かんないんだけどな、タマ。オマエも旅の安全を願ってくれよ」なんてやっていたら、あっ、タマが私のクルマん中に入った。ま、いいか。えっ、今度はよそのクルマのタイヤ舐めてるって思ったら、タイヤにくっついてるナメクジ舐めてる。

「やめなさい、タマ」

タマは意外と育ちが悪いのかもしれない。怒られると反省しないでどっか行っちまった。やれやれ、中学生の反抗期と一緒だな。

さて、今夜はどこで寝るとするか。昨夜の郵便局前の駐車場も悪くないが、ここならベンチとテーブルがあって一杯飲めるし、せっかくタマと友達になったんだから、今日はここで寝てもいいが…。ガリガリ…、うっ、何だ？　ガリガリ……。あっ、タマ、やめなさい。タマが私のクルマの下潜って、後輪辺りで爪研ぎだかなんだか知らないけど、ガリガリやってるじゃないか。こら、やめろ！

また、消えた。叱られるとどっか行って、しばらくするとまた現れて、例の中学生反抗期パターン。隠れてもダメだぞ。いいか、もう、ガリガリやるんじゃないぞ。今夜はここに泊まる気になったんだから、なんて言ってる端からまたガリガリ。タマ、いい加減にしなさい。最早、安全祈願どころじゃない。オマエがその態度を改めないんなら、こっちだって友情よりクルマの安全を取るぞ、冗談じゃないんだぞ、なんて説教も、もしかしたら英語じゃなきゃダメなのか、半分、こっちの血だから。ま、しばらく様子を見て……なんて悠長なこと考えてたら三回目のガリガリが始まった。そうか、分かった。オメエがどうしても止めないんだから、今夜はここに泊まらない。じゃあな、タマ。あばよ、タマ。

今夜遅くのフェリーでベラベラを発つという日の夕方、やっぱり気になって、私はタマに会いに行った。最後だから、プレゼントも用意して。

旅の安全祈願は自分でやれって、タマ、オマエはそう言いたいのかな。確かに、旅ってのは自分しか頼る者がいないんだしな。これまでの経験と知識、何回か遭遇したピンチで体得した「危険の感覚」、それらを総動員してかからなけりゃいけない、この旅は。そういうことだな。分かった。しっかりやっていくさ。

タマ、もう会うことないんだろうけど、オマエも達者でな。ありがとな。楽しかったぜ、短い時間だったけれど。

(3) クマ探し

結局、スピリチャルベアには会えなかった。ベラベラの後、七〇〇キロ走って頑張ったけれど、どうやら縁が無かったようだ、この手のものには。でも、ブラックベアと呼ばれる普通のクマには何回も会えた。アラスカの入り口みたいな場所でこうなんだから、中心へ行ったら一体どうなることやら……、わくわくしてくるではないか。

クルマを走らせていると、道路脇に小さな黒い塊が目に留まるときがある。草が影になって黒く見えたり、バーストしたタイヤの破片だったりが多いのだが、たまに「クマのフンだ！」となる。「この辺はクマがいるぞ、多いぞ」の貴重なサインだ。スピードを落として道路脇のブッシュや森の中を注意していると、「あっ、クマだ！」、このパターンがほとんどだ。クルマからチラッと見て通り過ぎてしまえばそれっきりで、多くの人はそうしている。実に勿体無いことだと私は思う。クルマを停めればじっくり見れるし、クルマを降りれば近づいて観察することも可能だ。さらに近づけば……、オットットッ、あんまり調子に乗ってはいけない。何回も遭遇したから、探し方とか、どんな場所に多いかとか、どのように近寄るか、どこまで近寄れるか、撮影の手順、クルマの対処など、上手くなってしまった。どんなものにもやはり「こつ」というものがあるのだなあ。

①対向車があるときや後ろにクルマがついている場合は運転に集中する。基本的に「見通しのいい前後真っ直ぐの道路に自分のクルマだけが走っている」状況でないとダメだ。日本だとなかなか無いシチュエーションだが、こちらでは決して珍しくない。
②「出そう」な雰囲気のところではスピードを落とす。こちらのハイウェイは普通八〇～一〇〇キロで走るが、後ろにクルマがいないのを確認して六〇キロ程度まで落とす。ちなみにこちらのハイウェイは無料。
③よそ見運転厳禁。と同時にクマのことも常に意識の片隅に留めておく。このバランスが一番難しいかもしれない。
④急なカーブやアップダウンで前後の見通しが悪い場所は、フンがあってもクマがいても諦めて素通りする。チャンスはまたあるのだから。
⑤クマを見つけたら、安全を十二分に確認した上で、静かにクルマを路肩に停める。ク

マが逃げないのを確認して、静かにドアを開けて外に出る。ドアは閉めない。音がしてクマが警戒するし、もしもというときに備えて。

⑥クマの様子を見ながら、少しだけ近寄る。逃げない程度に足音を大きくして「人間が近づいている」のを必ずクマに知らせる。

⑦適正距離の判断も厄介だ。周辺の地形、足場、クマと撮影者とクルマとの距離と位置関係、クマの様子、単独か複数か、子連れかどうかなどから判断する。私は「ここまでなら大丈夫な距離」＋「一〇メートルの余裕」を保つようにした。クマが自分に向かって走ってくる間に私がクルマに戻れる「大丈夫な距離」に加えて、焦って転んだりの予想外のことが起こったときのために「一〇メートルの余裕」を持つのだ。

⑧クマの現れる場所は、ハイウェイ横の茂み、場合によってはハイウェイ上などだ。川の近くや森の中に踏み込んで行けばようよういるような場所があるかもしれないけれど、ここ何年も全力疾走したことのないロートルは「危うきに近寄らず」だ。それに、敢えて「クマの縄張り」まで踏み込まなくとも、ハイウェイ沿いだけで十分にクマの観察が楽しめる、「ああ、アラスカっていいとこだ」と実感しながら。

ムービー撮影をしてる時、それまでのやりとりからして、こちらが近づけば向こうは逃げると予想していたのに、急にこちらに近づいてきたことがあった。若いクマで、「襲う」というより「興味を示した」という感じだった。以前、人間からなんらかの「収獲」を得た経験があったのかもしれない。慌ててクルマに戻ったが、ドアのところで頭をぶつけ、クマはクルマの前に潜って見えない。えっ、どうなったのと思ったら、後ろから音が聞こえて、ギヤをバックにして、いや、それじゃクマを轢いちゃうでしょ、Pにしたり Dにしたり、いやいや、クラクションだ。クラクション鳴らして、クマが逃げていくのをバックモニターで確認した。それで終わったけれど、やはり、いくら回数を重ねて冷静なつもりでいても、人間、いざとなるとたわいなく慌てる、焦る、間違えるものだと、とてもいい経験であった。

以上、ユーコン・アラスカのクマ撮影について記したが、これはブラックベアに限ったことで、グリズリーには安全対策をもっと徹底させた別の撮影ノウハウがあるはずだ。ブラックベアは日本のツキノワグマよりかなり友好的、いや、さすがにそこまでは言えないが、少なくとも敵対的ではない。グリズリーですらこちらでは決して「害獣」ではないようだ。南アラスカのヘインズでは、町外れの川でサーモン捕りをするグリズリーを見るのが観光の一つになっている。両者を仕切るものはなく、お互いがフリーで、グリズリーが移動すると、カメラをぶら下げた観光客もそれに合わせてぞろぞろ動く様は、さながら、どこかのゴルフ大会と大差無い。

帰国前に再びバンクーバー島北部を訪れたら、クマうじゃうじゃの場所を見つけた、しかも数カ所。

　こちらでは、人間はクマを目の敵にしていない。「非敵対的関係」が数百年にもわたって続いた結果として、ブラックベアもグリズリーも、日本のクマほど悪さをしないし凶暴でもない。昔のままの広大な自然が保たれているから、クマは人間と敵対せずに本来の営みを続けられるし、人間も適度な距離を置いてそれを見守っている。

　夏の終わりになると、おびただしい数のサーモンが生まれ故郷の川に帰ってくる。人間は梁を作ってサーモンを大量捕獲し、それに負けじと、周囲の森からはクマをはじめとする多種の獣たちが集まってくる。サーモンは北国の大地を棲処とする多様なワイルドライフの命の糧であり、直接に間接に、その恩恵は大型動物は勿論、可憐な花からゲジゲジまで、つまり、命あるあらゆるものたちに及んでいる。

川にサーモンが溢れる限り、人とクマは共存できるのだろう。

(4) 旅のスタイル

カナダもアメリカもとにかく広くて、皆、のんびり時間をかけて旅行している。家ごと移動しているようなトレーラーハウスからシンプルに体を張っての自転車まで、そう言えば徒歩の強者もいた。それぞれが自分の体力・経済力・好みに合ったやり方とスタイルで楽しんでいる。

若い時、私はヒッチハイクでよく旅をした。社会人になった最初の夏休み、息苦しさから逃げたい一心で津軽をめざした。サラリーマンだからたった五日間の自由時間しか無い。『津軽海峡冬景色』ではないけれど、会社から直接上野発の夜行列車に乗り、翌朝、青森県の五所川原駅に降り立った。お盆休みの竜飛岬は家族連れやカップルの観光客でごった返していた。太宰治の斜陽館は敢えて素通りし、十三湖を経てどこをどうたどったか、電車とバスを乗り継いで仙台まで戻ったら休みは後二日になっていた。「最後ぐらいヒッチハイクで決めたい」と国道に出た。久しぶりのロードサイドだ。しかし、クルマはスピードを落とすことなく通過するだけ。三〇分が過ぎ、ま、ヒッチハイクはこんなもの。一時間経って、うーむ。二時間経過して、もしこのままクルマが停まらなかったら、なんとか東京に帰り着いても、休む間も無く会社か。束の間の解放感どころか旅の疲れがどっと出て……、そもそも、ちゃんとした社会人がヒッチハイクなんかやるわけない。未練たらしいことしてんじゃねえよ。そこまで考えて急いで仙台に戻り、東北新幹線で一気に帰った。

こちらはキャンピングカーが大人気で、様々なタイプがあり、見ているだけでも楽しめる。一台一〇〇万円くらいから一〇〇〇万円以上のものもありそうだ。でも、旅行そのものはとても質素で、我々日本人とはお金をかけるところが違っているように感じる。ドーソンの町外れで、ドイツからやって来たおっさん三人組に出会ったが、彼らのトレーラーハウスの後ろにくっついてるのはなんと小型ヘリコプター。カヤックとＭＴＢも積んでいて、「すごいね！　これじゃ陸・海・空、行けないとこないね。で、ヘリはどこで手に入れたの？」

「うーん、ウォルマート（こちらの大型スーパー）で安く売ってたんだよ、ガッハッハ！」なんてジャーマンジョークをかまされた。

キャンピングカー専用のＲＶパークというのが各地にあって、売店・トイレ・シャワー・ランドリーなどの施設が整っている。比較的安価で利用でき、地方産業の一つとして立派に機能しているようだ。

モータリゼーションとは、クルマが一般大衆の日常の道具になるだけではないようだ。ツンドラ、森、砂地、雪原など、どんなコンディションの場所にも、キャンピングカー、トレーラーハウス、オフロードバイク、スノーモービル、四輪バギー、ＭＴＢなどなど、多種多様のビークルで入り込んで行き、町に戻ればそれらを受け入れるインフラが整っている、こういうシステム全体を含めてのことなんだと認識を新たにした。

バイクや自転車派は単独または二、三人の小グループが多かった。女の人が結構目についたのには驚いた。そう言えば、アジアのオッサン一人旅なんてのには出くわさなかった。ちょっと寂しいような、誇らしいような……。トレーラーハウスで大名旅行なんてのも一度くらいやってみていいけれど、もし私が若かったら、最小限の荷物を積んでの自転車というのがいいかな。

「全てを一人で」というのが旅の基本だろう。もう少し若ければ私もこういうのに挑戦したかった。

アラスカに旅立つ前、クルマ関係や備品の最終チェックも兼ねて、二週間かけてバンクーバー島北部を周った。備品は山道具と同様に小型・軽量のものを厳選した。クルマへの積み込みも、どこに何があると便利か、使い勝手・頻度を考えて、最適の配置になったと納得できるまで何回も荷物整理を繰り返し、私流の旅のスタイルが出来上がっていった。

移動手段　基本的にクルマ。ところどころ飛行機やフェリーを使う。

食事　基本的に自炊で頑張る。レストランは極力避ける。マーケットの総菜は適宜活用する。

寝るところ　町ではインやキャビン、ＲＶパークなど。山では車中泊、クマの危険が無ければテント。

具体的な目的として、次の六つを定めた。

- ・北極海を見る。
- ・野生動物の撮影。
- ・ベーリング海峡を見る。
- ・フランク安田の墓参り。
- ・アリューシャンで日本軍の戦跡を訪ねる。
- ・デナリの登山基地を訪れる。

⑸ デンプスターとダルトン

陸路で北極海に行くには、カナダのデンプスターハイウェイ七四〇キロ、アラスカのダルトンハイウェイ六六六キロ、この二つしか道が無い。

ハイウェイとは名ばかりで、どちらもとんでもない悪路だ。荒野の一本道だから、帰りは同じ道を戻るしかない。宿泊施設が限られ、ガソリンスタンドも、デンプスターは五ヶ所、ダルトンは三ヶ所しかない。デンプスターは全線未舗装、ダルトンは八割が未舗装。パンク対策は勿論だが、対向車の飛ばした小石によるフロントガラス破損が怖い。実質的な出発点の地方都市から北極海まで、実際の道のりは片道で八〇〇キロから九〇〇キロ弱で、直線距離だと東京‐札幌間に相当する。悪路専用の４ＷＤをわざわざレンタルし直して、私はこの二つの悪路に挑戦した。

デンプスターハイウェイは、カナダのユーコン準州・ノースウェスト準州を貫き、二つの大河をフェリーで渡って北極海に達する。百年前のゴールドラッシュの中心都市ドーソンからクロンダイク街道を一〇〇キロ走り、頑丈そうな木製の橋を渡る。正式には、そこがデンプスターハイウェイの起点だ。進むにつれて山が近くに迫り、道は右に左にアップダウンを繰り返しながら、ひたすら北をめざす。トムストーン辺りで山稜は険しさを増し、日本ではありえないような鋭いピークの岩峰が見え隠れする。その後、半日走って山の表情がやっと穏やかになり、丘と呼ぶに相応しいなだらかな起伏が多くなってきたところが中継地点のイーグルプレーンズである。ドーソンを早朝出発してもここまでで丸一日を要し、ルート唯一のホテルがある。外見は軍隊の宿舎みたいだが、中は僻地とは思えないくらい設備が整っていて、北極圏間近に自分がいることを忘れてしまう。人が集まる場所が他に無いから多くの人で賑わい、ホッとしている人、疲れ切っている人、旅愁に浸っている人など、様々だ。廊下を普通にイヌ（ホテルで飼っているようだ。しかも大型犬）が歩いているのが可笑しくもあり、また、この緩さがなんともカナダらしい。

その後もしばらく山や丘と平原のせめぎ合いは続くが、マッケンジー川とその支流を渡った後は永久凍土＝ツンドラが主役になり、樹高のある木は見当たらなくなる。

いつしか丘もなくなり、その後は、果てしなく広がるツンドラを、「ほとんど直線＋たまにカーブとほんの少しのアップダウン」の組み合わせでどこまでもどこまでも。フロントガラス越しに見る景色が数時間経って何の変化も無いようなドライブを延々と続けた先に、やっとたどり着くのがイヌビク、ツンドラの大海原に浮かぶ小島のような町だ。数年前まで、ハイウェイはここまでしか通じていなかったが、今はもっと先、カナダ最北の町であるトゥクトヤクトゥクまで延伸している。時間と距離に対する感覚が麻痺したままさらに一六〇キロ頑張って、やっとのことで北極海を目の当たりにすることができるのだ。

ダルトンハイウェイは内陸アラスカの中心都市フェアバンクスが起点だ。スケールの大きい丘陵地帯を縦横に走る快適な舗装道路から始まるが、数時間で未舗装が現れ、北上するにつれてその割合が増し、北極圏突入後はほぼ未舗装になる。注意しなくてはならないのは、舗装路といえども、時折、ボコッととんでもない大穴が出現することだ。超低温による土中の水分凍結でアスファルトが浮き上がり、日本の大型トラックの優に二倍以上あろうかという超大型トラックがヤワになった個所を何回か通れば、穴が空くのは防ぎようもない。中には直径一メートル・深さ三〇センチほどのもあり、超大型トラックならドスンと振動する程度で通過できても、普通車がスピードを落とさずに突っ込めば、タイヤがバーストするくらいでは済まないかもしれない。

翻ってデンプスターハイウェイにアスファルト舗装が無いのは、「諦めている」あるいは「予算をけちっている」のではなく、未舗装の方が却って安全と考えているのではないだろうか。路面に大量の土をぶちまけて、ロードローラーで丁寧にならしているのを何回も見かけた。ツンドラをアスファルトで無理矢理押さえ込もうとするよりも、同じ土を用いて「ツンドラさん、まあまあこれで……」とあやすようなやり方が、極寒に対しては理にかなったメンテナンスなのかもしれない。

ダルトンハイウェイの文字通りの「山場」は、ブルックス山脈を越えるアチガン峠だ。ブルックス山脈の最高標高は三〇〇〇メートルに満たないけれど、本州の半分くらいの広漠たる山岳地帯が北極圏に広がる。百年前、極北のイヌイットの人たちを救うために、新天地を求めたフランク安田(※)の一行が命を賭してこの原始境を数ヶ月もさまよい突破したことに思いを馳せると、尊崇の念とともに、同じ日本人として大きな誇りを感じる。

さらにダルトンならではの特徴として、長大な石油パイプラインに沿って道がつけられているというのがある。ダルトンハイウェイは、パイプラインの保守点検および北極海に面したプルドーベイの石油基地への物資補給のための道路なのだ。だから、地を這う長大なパイプラインが運転中もずっと見え隠れする。「石油を運ぶ」というたった一つの使命のために、北極海から南アラスカのバルディーズの港までの一三〇〇キロを、河を渡り山を削りツンドラを切り裂いて、このパイプラインは結んでいる。

バーストしたタイヤがドライバーの不安を煽る。

北極海に通ずるデンプスターハイウェイとダルトンハイウェイ。地図で見ると同じようなイメージを抱いてしまうかもしれないけれど、自力走破して、二つのハイウェイが、実は「似て非なるもの」であることを実感させられた。デンプスターはイヌビクやトゥクトヤクトゥクに住む人々、ほとんどがファーストネーションだが、彼らのための生活道路であり、ダルトンは、今や世界最大の産油国となったアメリカの石油輸送のための産業道路だった。ツンドラの表情にも微妙な違いがあり、何よりも、カナダとアメリカという隣り合った二つの国の性格の違いがよく表れたハイウェイであった。

※フランク安田については〈アラスカ編〉⑻「ユーコンの畔にて——フランク安田という人」、⑼「ユーコンの畔にて——墓参り」、⑽「ユーコンの畔にて——ポールの老母」、⒂「オーロラ大先生」、㉓「『ナントカシナイト』をなんとかしたい」で詳述。

⑹ 何を食べていたか

片雲の風に誘われ旅を栖(すみか)とするのはいいのだけれど、霞を食べても腹の足しにはならない。寝ること、休むこと、そしてしっかり食べることは旅の要諦だ。

栄養補給は当然だけれど、美味しいものを食べていないと元気が出てこないし、食べ物で旅に変化をつけることもできる。最初のうちこそ日本料理店を探したり、レストランでステーキを食べたりもしたが、外食は「高くて、不味くて、胃に負担がかかる」のが体験的に分かったのでその手にはすっかり足が遠のいてしまい、カナダで勉強していた時と同じように、自炊が中心になった。でも、あの時は「定住」していたから、自炊は思ったほど大変ではなかった。買い物は面倒だったけれど、冷蔵庫が使えたので買い置きができたし、不慣れな料理がだんだん面白く感じられるようになったのは自分でも意外だった。

しかし、旅をしながらだと事情が異なる。同じ宿泊施設に連泊しないと実質的に冷蔵庫は使えない。初めての町では欲しい食材が手に入るか分からないし、そもそも僻地では、スーパーでも品揃えが極めて限られる。そして、肉でも野菜でも売っている分量が多過ぎだ。宿泊施設にキッチンが無い場合は、部屋の中でキャンプ用のコンロを使うしかない。そもそも、車中泊やテント泊は野外で料理するしかないし、水が自由に使えないときもある。

食材は少量で持ちのいいもの、常温で保存できるものを選ぶように心掛けた。次の行動予定を踏まえ、移動時に生ものを持たなくていいようにローテーションを考えた。野菜・果物・牛乳は、宿で作った氷を入れたクーラーボックスに保管した。

日本の食材はアラスカでも意外と手に入る。米・醤油・味噌は勿論のこと、ポン酢・みりん・海苔なども普通に目にする。豆腐は大きなスーパーであれば大抵売っているので助かるが、

クルマ移動だと結構贅沢な食材を使える。歩きだとこうはいかないのだが。

とても豆腐とは思えないような硬さのものが多い。絹ごしみたいのはこちらの人は上手くキャッチできないのだろうか。アメリカ人がフォークで豆腐に悪戦苦闘している図を想像すると、とても可笑しい。野菜も、日本人がよく使うものは大体ある。こちらのキャベツはしんなりぺったりでシャキシャキ感が全然無いから、レタスを代用させた。きのこ類は豊富で、えのき茸があったのには驚いた。日本食材で手に入りにくいものは鰹節くらいか。

米をどうするかは日本人にとって大問題だ。パン・パスタ・麺類を米代わりにすることも多かったが、特にジャガイモには随分と助けられた。マッシュポテトは十分に白米の代役になる。ジャガイモは「安い・持ちがいい・保存が簡単・料理も簡単・ゆで汁も他の料理に使える」ので、さすがドイツ人、無駄が無い。

米を炊くのは、一ヶ所に居続ける時だ。炊き方にコツがあって、米とぎは入念に、炊く前に数時間は水につけておく、水も一割以上多め、炊く直前に日本酒と酢を少量入れるなどで、これはネット仕込みだが、炊きたては申し分なく旨い。ただ、一旦冷えるとボソボソになる。パックライスも売っているが割高だ。チンする前に水を少量加えると、日本人好みのふっくらご飯になる。

料理とは頭と胃袋の協業による創作活動だ――調子に乗って偉そうなことを書いてしまったが、与えられた素材をいかに活かすかという工夫こそが、料理の楽しみの一つだと思う。マヨネーズやソースは必ず自分好みにアレンジした。イチゴと見間違って買ったサクランボのジャムを砂糖代わりに用いると甘さがまろやかになることを発見した時は、「オレってセンスあるかも」と一人キッチンでにんまりした。野菜を意識的に沢山摂るために、ドレッシングは自作した。マヨネーズにネギのみじん切りを入れ、オリーブオイルやミルクを適度に加え、さらに手持ちの果物があればそれも細かく刻んでテキトーに混ぜたりした。ソース・ドレッシング・スープ・シチューの類いは、「テキトーに加えて混ぜる」だけで結構いける味になり失敗しにくいことが分かった。

しかし、いくら工夫しても、どうしても食材を捨てなくてはいけない場合があった。クーラーボックスの氷はもってせいぜい一日。予定が変わって冷蔵庫が使えない状態が続くと、出番を待つ食材が宙に浮く。例えば牛乳。傷んでいないか、外見と匂いをチェックする。捨てるのは勿体無い。でもちょっと変かなあ……、この辺の判断が「にわか料理人」の私には難しい。で、辛いところなのだが「疑わしきは捨てる」、これを原則にした。

自作自選ベスト4は

①シーフードカレー　でっかいエビが旨かった。エビを入れるのを忘れてて、最後に慌てて放り込んだのが幸いしたのかもしれない。

②ミルフィーユ鍋　こちらには薄切り肉が存在しないから、肉を薄く切るのがこの料理の一番タイヘンなところであった。白菜っぽいのを使ったら、ほぼ白菜の味がした。

③すき焼き　定番ですな。それっぽい具材を用意してテキトーにタレを作り煮込めばいいだけだから、カンタンでした。

④カルビ焼肉　気合いを入れて作ったタレが絶妙であった。あんな真似は日本じゃできないのではないか。

★特別賞は焼き鳥　わざわざ小枝を取ってきて串を作った甲斐がありました。ワサビがほんのり効いて、嗚呼、日本の味。

手抜きの時もあったけれど、自分でも驚くくらいよく作ったと思う。人間、切羽詰まると頑張るものなのだなあ。でも、一人で食事しながら「日本戻ったら何食べたいか」なんて考えていたら、なんと言ってもカミさんの作ってくれる料理、これが一番だと、異国の地でしみじみと思うのであった。

食べることと関連して、旅を続ける上で特に注意しなければいけないのは、毎日の健康管理だ。一昔前までは薬と無縁の生活だったのに、いつの間にかすっかり薬の世話になるようになって、ま、これはジジイになったのだからしょうがないか。

まず日本を出る前にやるべき治療を全て終え、医者の処方による薬、市販の薬などを揃えた。弱点は消化器系。歯・胃・腸・肛門、つまり食べ物の入り口から出口までの全部だ。一年以上かけて歯の根本治療を行った（高かった！）。胃腸は消化剤、整腸剤、下痢止めなどの処方薬を一〇種類と漢方薬二種類。出口対策は、最悪の事態、例えば「グリズリー撮影中、お尻が痛くてピントが合わない」みたいのを想定し、肛門科の医者の診察も受け薬も貰った。肛門科の診察はこれが生涯四度目だったと思うが、あられもない体位をとらされ、大の男が思わず「いやん！」と口走ってしまうようなものであるのは、知る人ぞ知る、だろう。さらに尿路結石で数種類、腰痛の薬と腰ベルト、無呼吸症候群対策のマウスピース、水虫薬、養毛剤、目薬、日焼け止め、膝の薬など。ウォシュレットが無いのも気がかりだったので、水鉄砲のようなハンディウォシュレット（と呼ぶのもちょっと憚られるようなチャチな代物なのだが）を持参してきた。この他に一般的な外傷の薬、防蚊薬、虫刺され薬。防蚊効果を謳う繊維のシャツとタイツ、手袋。これで小ぶりのダンボール箱一個になったが、旅を終えた時点で五分の一に減った。「備えあれば憂い無し」と喜ぶべきか、薬無しではやっていけない軟弱さを嘆くべきなのか。ただ、お尻の薬は一度も使わずに済み、これは唯々嬉しい誤算だった。

(7) パルナシウスを求めて

ホワイトホースのビジターセンターでたまたま手にしたパンフレットを見て、私は思わずおよよとのけ反った。「ケノヒルには珍しいチョウが生息していて、ケノシティーには研究所もある。チョウの名はパルナシウス・エベレスマンニ！」。

あまりにも「いきなり」で面食らってしまうかもしれないので、ちょっと説明させていただく。小学校から中学にかけて、自分は将来、昆虫学者になると一人で勝手に決めていた。中一の時、親戚のおばさんに「どんな本を読んでいるの？」と聞かれて「昆虫図鑑だけです。それ以外の本は僕にとってどうでもいいです」と生意気に答えたのを今でもよく覚えている。そんな昆虫少年が夢に見るほど憧れていたチョウの一つがパルナシウス・エベレスマンニなのだ。ちなみに、動植物や昆虫などを学問で扱う場合にはラテン語表記の「学名」を用いることになっていて、「パルナシウス」は属名、つまり所属するグループの名称で、「エベレスマンニ」が種名。これは一八世紀の分類学者リンネが提唱した「二名

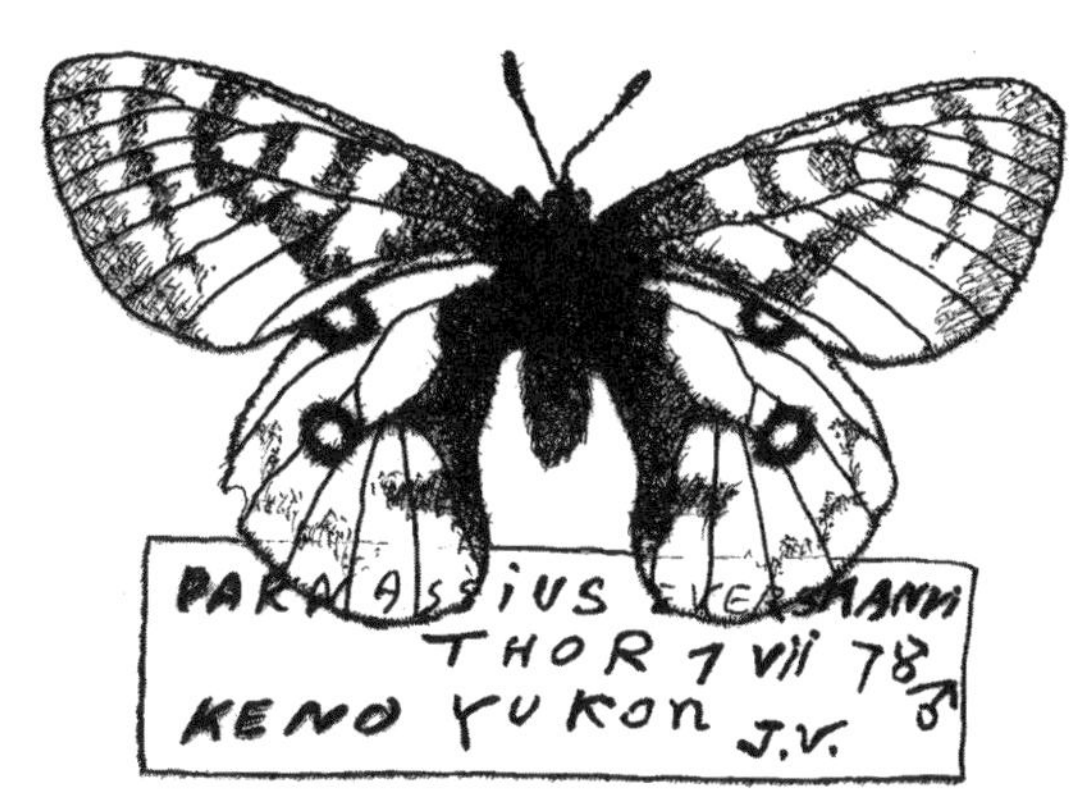

半透明の黄色地に控えめな赤い斑紋。高山の砂礫地を舞う姿には「女神」の名が相応しい。

法」に基づいたものだ。

　で、そのパルナシウスは、日本にいる二五〇種ほどのチョウの中で、「美しさ」と「珍しさ」、そしてこれが重要なのだが、「生息環境のかっこよさ」という基準で人気投票をしたらベスト5に入るだけでなく、「最も採集するのが難しい」、いや、実質的には「採集できない」チョウなのだ。日本での分布は北海道の大雪山系だけで、しかもそこは採集禁止。上高地・小笠原と並び特別保護区域に指定されていて、日本で最も厳しく監視されている。私の場合は採集ではなく撮影さえできればいいのだけれど、登山道から一歩でも外れると、どこからともなくレインジャーがやって来て摘み出されるらしい。これではまともな写真など撮れるわけがない。ケノヒルに行けば憧れの美蝶パルナシウスにお目にかかれて、自由に撮影までさせてもらえるかもしれない。件のパンフレットが私の中で五〇年以上眠っていた昆虫少年の心に火をつけた。

なにはともあれケノシティーに行くしかない。アラスカハイウェイから道を外れ、一〇〇キロの未舗装路を走る。途中で天気が崩れ、丸々二日間キャンプ場で時間を潰し、ケノシティーに着いたのは三日目の朝、六月十七日だった。こんな山奥に「シティー」なんてあるのかと思いきや、住人五〇人程度の集落。ハイウェイといいシティーといい、英語が外来語として日本語の仲間入りする時、往々にして「ずれ」が生じるようだ。もっとも、ケノシティーには一昔前は大きな鉱山があったようで、ひょっとして最盛期は……、いや、パルナシウスがいるかどうか、今はそれ以外のことは関係無い。

「現地の人に研究所のことを尋ねて、知らないようならガセネタだな」なんて考えながら集落の真ん中に停めたクルマの目の前に、パンフレット裏に出てた研究所の写真と同じ建物があるじゃないか。なんだか幸先がいい。大声で挨拶をして、ずかずかと中に入る。そして、間違いなく例のパルナシウスの標本があることを確認した。係の人、研究者と言うより村のボランティアって感じのおっさんだが「このチョウはケノヒルにいるんだ。ここから一一キロ離れてるけどクルマで上がれる」と断言し、あっけなさ過ぎ、話うま過ぎ。ここまで分かった以上、挑戦するしかない。それにしても、あのパルナシウスがいる場所にクルマで行けるだなんて、うふふ、まさに夢のような話ではないか。

ケノヒルは「ヒル」とは言うものの高山特有の地質と植生で、この「ずれ」は大いに心強い。明るく開けた頂上一帯は大雪山そっくり。一目見て「この環境ならパルナシウスがいて全くおかしくない」と直感した。辺りを歩き回り何か飛んでいないか、植物の様子はどうかチェックする。高山性のチョウがちらほら飛んでいるが、めざすパルナシウスではない。パルナシウスの幼虫が食べるコマクサも探したのだが見つからなかった。ちなみに、アゲハがミカン類の葉を食べるように、チョウやガの幼虫は食べる植物が種ごとに限られていて、その植物を食草と言う。パルナシウス・エベレスマンニなら、コマクサが食草ということだ。時期がやや早いことは見当が付いていたから成虫が飛んでいないのは納得できるのだが、うーむ、コマクサは花は咲いてなくとも葉は出てなくてはいけない。

結局、ケノヒルには半日滞在して引き上げた。諦めたのではない。成虫が確認できなかったのは、時期が早かったからだろう。コマクサは、場所を広げて探せばあるに違いない。なぜなら、成虫が記録されているのだから。大雪山を彷彿とさせるこの環境なら、時期が来ればパルナシウスが飛び交うに違いない。考えただけでニンマリし、七月初めの再訪を決めた。

七月三日、晴れ時々曇り。前回から一〇日経った。気温が低めなのはいいとしても、風が強いのが気にかかる。それに観光客がちょこちょこやって来る。でも、そんなのは気にすまい。めざすものに出会えればいい。それだけである。飛んでいるチョウの数が幾分増え、高山性の花も咲き始めている。大雪山も同様だが、北国の山は六月末から七月初めの一、二週間で、一気に春から夏に衣替えする。しかし、肝心のパルナシウスはおろか、コマクサすら見つからない。七月に入ってコマクサの葉がまだ地表に出ていないのは、普通では考えられないはずだ。つまり、私が今見て周った範囲に、コマクサは自生していない。だからパルナシウスもいない、そう考えるべきだろう。風は相変わらず強く、雲が増えて、日も差さなくなってしまった。本日はどうもこれで終わりのようだ。カラカラと気合いが空回りする。

テント泊のつもりでいたが、地元のオヤジが「クルマで寝た方がいいんじゃないか。ま、グリズリーは大丈夫とは思うが」なんて言うのを聞くと、やはり気になるものである。ここは無難に車中泊することに決めた。夜中、雨がクルマの屋根を叩く音で目が覚めた。テント泊にしてたら、面倒なことになっていた。

朝六時、雨が降ったり止んだりを繰り返すが、遠くの空に小さな晴れ間が覗く時もある。雲は忙しげに動いている。「天気の変わり目か。いい方に傾けば、晴れ間が広がるかもしれない」と楽観的な予想をし、しかし、雨と寒さ対策を万全にして、範囲を半径三キロに広げて砂礫の斜面を歩き回った。しかし晴れ間はいつしか消え去り、雨は降ったり止んだりを繰り返す。やがて、日が全く差さなくなった。悪い方に傾いたのか。午後二時を過ぎると雨に風が加わった。最早、成虫の確認は諦めなければいけない状況だが、せめて、食草のコマクサの自生だけでも見届けたい。そんな願いを知ってか知らずか、冷たい雨が私の顔に容赦なく打ち付けた。「ゴールドラッシュの時代じゃあるまいし、うまい話なんて、早々あるもんじゃないんだよ」、そういうことなのか……。

二回計四泊五日の孤軍奮闘は、結局何の成果ももたらさなかった。アラスカ大学で昆虫学を教える先生に聞いて後で分かったのだが、パルナシウス・エベレスマンニは、アラスカからユーコン、さらに南下してオレゴン辺りまで広く分布していた。いずれの地でも個体数は多くないみたいだが、私が五〇年前に得た情報、「北海道の大雪山系とアラスカの一部に棲む稀少なチョウ」というのは当時の知見であって、その後、研究者が様々な場所でこのチョウを発見・採集して、本当はかなり広範囲に分布していることが確認されていた。

私は「浦島太郎」的なトリックにはまっていたようである。でも、いい。半世紀前の昆虫少年の心で大地と戯れることができたのだから。

(8) ユーコンの畔にて――フランク安田という人

日本が海外とのつきあいをほとんどしていない時代に外地で活躍した日本人といえば山田長政やジョン万次郎が有名だけれど、明治後半のアラスカで極寒の地の村人を救い、今も「アラスカのモーゼ」と尊称される日本人がいたことは、あまり知られていない。

安田恭輔、後のフランク安田は、明治維新の年に宮城県石巻市の裕福な医者の家に生まれたが、たまたま乗り込んだ商船が難波してアメリカ西海岸に辿り着いた後、安住の地を求めてアラスカをさまよった末、命からがら辿り着いた先がイヌイットの村、北極海に面するバローだった。今から百年以上も昔のことだから、自然環境の厳しさは想像を絶する。しかし、フランク安田の本当の苦労は、実はここから始まる。当時、ヨーロッパや新興のアメリカから、毛皮を求めて大勢の人々がアラスカに押し寄せていた。ラッコ・アザラシ・クジラが乱獲され、イヌイットの人たちにとって命の糧である獣肉が確保できなくなった。それに追い打ちをかけるように、白人が持ち込んだ麻疹(はしか)で、村は壊滅的な打撃を

理想の地に辿り着いてなお、二人の表情に当時の生活の厳しさがうかがわれる。

受ける。イヌイットの酋長の娘ネビロと結婚して平穏な家庭生活がようやくできるようになったのも束の間、村人に請われてリーダーとなったフランクは村の再興を託され、妻ネビロと数人のイヌイットを引き連れて豊かな土地を探す旅に出る。数ヶ月かけて原始境ブルックス山脈を突破し、金を掘り当て、ユーコン河畔に理想の土地を見つけた。そして、命を賭して先住のインディアンと交渉して、正式に土地を手に入れ、辺りにビーバーが多かったことから、その地をビーバーと名付けた。村人二〇〇名を迎え入れ、猟を再開し、家を建て、貨幣経済に馴染みの無いイヌイットの人たちの生活を支える交易所を開いた。金の発見で得た財貨を全て費やし、足かけ五年の歳月をかけて、フランクは村人たちとの約束を果たした。その後も毛皮の販路拡大や野菜栽培など、村の経済を発展・安定させる様々な試みに果敢に挑戦した。一九五八年、日本が敗戦の混乱を抜け出し奇跡の経済復興へ突き進もうとするその時、フランク安田は一度も故国に戻ることなく、ユーコンの畔で息を引き取った。享年九〇歳。

フランク安田のことを私が知ったのは、新田次郎の小説『アラスカ物語』によってだ。アラスカの過酷な自然環境に加え、人種差別もあっただろう。自分が生き延びるだけでも大変なのに、遠くアジアの血を引くイヌイットの人々を率いてブルックス山脈を越え、ユーコン河畔に新たな村を拓いた。明治の時代が生んだ日本男児のお手本のような、見事な生き方である。小説のあとがきには、「フランク安田の墓はビーバー村にある」と簡単に記されていた。私はアラスカの旅程に、フランク安田の墓参りを組み入れることにした。

とりあえず、手元にある縮尺八〇〇万分の一の地図でビーバー村を探してみた。フェアバンクスから真北へ二〇〇キロほどの地点に、めざす村はあった。新田の本に書かれてある通りユーコン川の畔で、北極圏のほんの少し手前だ。冬なら川の凍結でできるアイスロードが使えるのだろうが、今の季節にビーバー村へ通ずる道は無い。それなら、飛行機で行くしかない。

ネット情報を見ると、村の近くにフランク安田の名前をつけた山があるのが分かった。新田の本には、「妻ネビロが近くの川で偶然砂金を見つけ、その川の上流で金鉱を掘り当て、それがビーバー入植の軍資金になった」経緯が記されている。新田の本によると、その川は件の山の麓を流れているはずだ。また、何年か前にフランク安田没後五〇年を祝う祭「メモリアルポトラッチ」が催され、それを主催したのが、ある日本人男性であること、ビーバーの子供たちが、フランク安田の出身地である石巻市に招かれたことなども分かってきた。歴史と私のいる今を繋ぐ糸が、少しずつ見えてきた。

飛行機の予約を入れた会社で、色々現地の情報を仕入れた。ビーバーに宿泊施設は無いという。大丈夫、私にはテントがあるから。商店も食堂も無いらしい。平気だ。山でキャンプすると思えば、どうってことない。山用の携帯コンロのガスカートリッジが問題になった。飛行機には「爆発物」になり得るものは持ち込めない規則があるからだ。ダメなら川辺でたき火でもするかと半ば諦めたが、カートリッジの重さを量り「大丈夫。この重さなら平気だよ」とOKしてくれた。ビーバーへの物資輸送は夏場は飛行機が中心で、普通の飛行機の規則通りに燃料などが運べなかったら、村人の生活は成り立たない。これは、現地に合わせた特例なのだろう。最後に、「ビーバーの地図か案内みたいなものはありませんか」と尋ねたら、「あるわけないよ、観光地じゃないんだから」と言われた。

前夜、山に入るのと同じ気持ちで荷造りしたザックは二〇キロ近くになっていたが、出発前の計量では、積み込み無料の範囲にギリギリ収まってくれた。本・地図・ネットなどの情報だけで頭でっかちになってしまったが、フランク安田が拓いたビーバーという土地は果たしてどんなところなのか。村人はどのような暮らしをしているのか。日本の英雄の痕跡は今も残っているのか。様々な思いを抱き、私は六人乗りの飛行機に乗り込んだ。

(9) ユーコンの畔にて――墓参り

フェアバンクスから小型飛行機で一時間。ビーバー村は、蛇行するユーコン川と数えきれないほど多くの支流、そして大小の湖沼に囲まれたツンドラの只中にあった。

土を固めただけの飛行場に、ドスンドスンとバウンドしながら飛行機は着陸した。エンジンの音が止むと、どこにいたのか、村人がぞろぞろ出てきて、ダンボール包み、プラスチック容器、雑誌や新聞の束、何だか分からない種々雑多のものが、ポンポンと機外へ運び出される。よくもまあこんなに沢山のものがあんな狭い機内に収まっていたものだ。これはだれのものとちゃんと分かっているのだろう、さも当然といった顔で、村人は荷物を受け取ってどこかへ消えていく。最後に出てきた赤いザックを背負った私も、村人たちの後についた。とは言っても、宿舎も商店も無いと聞いていたから行く当ては無い。「どこへ行けばいいですか?」と村人に聞くのも間抜けな話だなんて考えていたら、ひと目で学校と分かる建物がすぐに現れてくれた。直感で、テントを張るのはここしかないと考え、中に入って行った。

学校にいたのは、山火事のために派遣された消防隊の人たちだった。こちらは何しろ山火事が多い。年がら年中、山火事だらけと言っていいくらいのようだ。暇そうな若手に「校庭にテントを張らせてもらえないか」と尋ねたら、偉そうな人が出てきて簡単にＯＫしてくれ、ひとまず安心する。

早速、校庭の隅っこにテントを張ることにした。水場は近くにある。トイレはちょっと離れているが、夜中も使えるらしい。テントを設営し、荷物を整理してテン泊の態勢を整え終わったら夕方の六時。でも、白夜の季節だから昼の明るさと変わらない。さして広くない校庭をぐるっと一周すると、学校の向かいに墓地が見えた。新田次郎の本では「村外れ」とあった気がしたが、タイミングよく若い男がやって来たので、「あそこにフランク安田さんのお墓はありますか？」と尋ねた。男はちょっと考えてから手をおいでおいでみたいにするから、後について行った。形も大きさも同じ墓標がぼうぼうの草の中に雑然と立っている中を、男は右に左に進む。やがて男は一番奥の墓標を、役目を終えてホッとしたような表情で指さす。そして、こんな草むらには長居したくないというように、さっさとどこかへ行ってしまった。

一際密に生い茂る草むらに分け入ると、他の墓標たちと少し間隔を置いて、二つの墓標が互いに寄り添い合うように立っていた。フランク安田と妻ネビロの墓であった。

フランク安田の墓標の前には、壊れかけた粗末な小箱が二つ置かれていた。「失礼になりはしないか」と思いながらも中を覗くと、なにがしかのお金と、古びた手紙のようなものが入っていた。草が伸び放題になっている墓標の足元には、山を描いたレリーフがあるのが分かった。よく見えるように、登山用のナイフで簡単に草刈りをした。白夜の光の中に、富士山の姿が浮かび上がった。

荒れ果てた墓は、現在のビーバー村の何を表しているのだろうか。

やがて日差しが心持ち弱まり、「いくらなんでもクマは出て来ないだろうが」と、少しだけ用心しながら、私は人気の無い村内を歩き回った。大きな川沿いに進むと、朽ち果てた建物が目に留まった。個人の家にしては大き過ぎるから、商店だったのだろうか。屋根が崩れて、それを覆うようにブルーシートが掛けられているが、風でめくれ上がって用をなしていない。ぐるりと周りを回って、入り口横のガラス窓に貼り紙があるのに気づいた。

「フランク安田が営んでいた交易所」

そうなのか――。

フランク安田は晩年に交易所を営んでいたと『アラスカ物語』に書いてあったけれど、これがその交易所なのか。本の中のことと思っていたが、今、目の前で現物がギリギリの姿を晒している。しかし、この貼り紙、なんで日本語で書かれてあるんだろう。誰が書いたのか。歴史の中から抜け出

周辺には資材が散らばり、誰かが修理をしようとしている。
ナントカシナイトの同志がビーバー村にもいるということか。

してきたような廃屋を前にして、様々な思いが頭を巡る。

果てしなく広がるツンドラの原野を帰りの飛行機から見下ろしながら、あてどない考えが頭に浮かんでは消えていった。あの交易所を保存する手立ては無いものか。朽ち果てた姿にフランク安田の生きざまが重なる。貼り紙には、「伝えなくては、残さなくては……」という誰かの意志を感じる。ブルーシートそのものは五〇ドルもかからないだろうが、誰がそれを屋根に掛けるのか。村のだれかに頼むか。仮にそれができても、余程しっかり固定しないと、一冬も越せずに吹っ飛んじまうぞ。恒久的な処置なんて、とても個人でできるものではない。お金のことだけ考えても三万ドル、いや五万ドル……、一体いくらかかるのか。でも、このまま放っておくのはあまりに勿体無い。一世紀前の極限の地で繰り広げられたフランク安田による孤高の戦いを、歴史の闇に埋もれさせたくない。誇りと理念を見失ったかに見える今の日本が失ったもの、それが「形」としてまだ存在している。これからの日本を背負って立たなくてはいけない若い人たちにこそ、フランク安田の生き方を知ってもらいたい。そのためには、あの交易所をナントカシナイト……。

⑽ ユーコンの畔にて――ポールの老母

フランク安田の交易所の後で、実は、隣家の人に声をかけられた。

「今、サーモンを料理しているから、晩ご飯まだのようなら食べに来ないか」

宿泊施設の無い僻地ゆえ、山用のわずかばかりの食料で我慢するしかないと思っていた私には、願ってもないお誘いである。ありがたくご厚意に甘えることにした。

物置と思い込んでいた建物が、夕食に招いてくれたポールの家だった。白人のような名前だが、学校でイヌイットの言葉を子供たちに教えているらしい。立ち振る舞いから、ポールが熱心なクリスチャンであることが想像できる。家に入った瞬間、暗く、狭く、物がごちゃごちゃしているのに気づいた。ポールが母親を紹介してくれた。

「おばあちゃん、初めまして。お幾つですか？」

「八八だわさ」と答えるおばあちゃんは歯が抜け落ちて、言葉が聞き取りにくい。

「お元気そうですね。私は日本からやってまいりました。六七歳で一人旅をやっている者でござんす」

「ふにゃ、ふにゃ」

ばあちゃんは口をくちゃくちゃ言わせながら、紙皿の小ぶりのサーモン切り身を食べていた。ポールが私の分を持って来た。同じように紙の皿に載った切り身で、付け合わせはマッシュポテトだった。サーモンの端っこを摘んで口に入れたが、あまり味がしない。テーブルの上の塩をふってもう一口。少し味らしくなってきた。この味の薄さは、こちらに来て初めて体験する薄さだ。そうか、同じアジアの血を引いているから、イヌイットの人たちも我々日本人と味の好みが似ているのかもしれない。

ばあちゃんのと同じで皿に盛られた料理はこぢんまりしているが、考えさせられることは山盛りだ。サーモンは目の前を流れるユーコン川でいくらでも捕れるはずなのに、なんでこんなに小さく薄切りなんだろう。ばあちゃんはこの分量でいいとしても、ポールはどうなんだろう。彼も同じサイズか。いや、まさか、自分の分を私に供してはいないと思うが。それに紙の皿。使い捨てじゃ勿体無い。普通の皿を買うお金が無いのだろうか。大きめの骨だけ残して綺麗にサーモンとポテトを平らげ、自分の皿をばあちゃんの皿に重ねた時、ばあちゃんの皿には骨すら残っていないのが分かった。

部屋の暗さに目が馴染んできた。棚のようなものはあったと思うが、洋服とか本とか箱とか袋とかの多くが、そのまま床やテーブルの上に置かれている、積み重ねられている。サーモンの写真は撮ったが、それ以上撮影するのが憚られた。ポールは外の明かりを頼りに、イヌイットのお守り作りに忙しそうだ。話が弾まないまま、私は「サンキューソウマッチ」と言ってその場を辞した。出てみると、外の方が明るかった。

次の日、村をぶらついていると、ユーコン河畔でボーッと遠くを見ているばあちゃんに会った。

「やあ、また会いましたね。昨日はごちそうさまでした」

「ふんにゃ、ふんにゃ」

「おばあちゃんはユーコン川が好きそうですね」

「そりゃあそうさぁ。ユーコン様のおかげで、ビーバーは世界一暮らしやすい土地なんじゃからな。サーモンなんて捕ろうと思えばいくらだって捕れるし、ちょっと前までは金だって採れたんじゃぞ。ワシャ、あんたをフィッシングキャンプに連れて行きたいよ。あんな楽しいことは無いんだからのう」

このばあちゃんとフィッシングキャンプに行けたら、どんなに素晴らしいだろう。私が知らぬ人間の心の在りようを、ばあちゃんは当たり前のように見せてくれるんじゃないか。

「私はフランク安田さんの墓参りをするためにここに来たんですけれど、おばあちゃんはフランクさんのこと、何かご存知ですか？」

「そりゃ、いくらでも知っとるがな。フランクは皆から好かれていたし頼られていた。立派なお方だった。奥さんのネビロはワシのこと、とても可愛がってくれてな。心の広〜いお方だったで」

そうなんだ。このばあちゃんはフランク夫妻と重なっているんだ。

「ワシはな、ここビーバーで生まれビーバーで育った。だから世界で一番幸せもんじゃよ。ユーコン様は必要なものはなんでも恵んでくれるんじゃからな」

私は、ここぞとばかり、どんどん質問した。昔のビーバーのこと、金のこと、フランク夫妻のこと。最後にばあちゃんが言った。

「あんたはなんでも知りたがるんじゃのう。まるでビーバーのようじゃ」

この場合のビーバーは地名ではなく、動物のビーバーを指しているのだろう。ビーバーはアラスカではよく見かける動物で、川や湖で木の枝が積み重なったビーバーダムの近くで待っていると、好奇心旺盛なビーバーはわざわざ巣から出てきて、こちらを窺いながら近くをスイスイ泳いだりする。その好奇心のことを言っているに違いない。

「おばあちゃん、色々大切なことを教えてもらって、本当にありがとう」

「いんや、いんや。こっちこそ、こんな年寄りの話聞いてもらって、サンキュベリマッチだわさ」

あそこで出会えたのは、ユーコン様のお導きかもしれないね。

このばあちゃんのことを思い出すと、がさついた自分の心が不思議と静かになるのが分かる。資本主義とか物質文明とか、それより深いところにある人間存在。気持ち、思いなどより奥の方、魂と言われるもの。そんなことについて、ふと、考えてしまう。アラスカで生まれ育ち、ユーコンから与えられ、今、息子に見守られながら、ばあちゃんは人生の最後の日々をそのまま受け入れている。サーモンがユーコンの浅瀬で息絶えるように、ばあちゃんは何の思い煩いや憂いもなく、いつか自然に還っていくのだろう（ばあちゃん、ゴメン）。ポールの信ずるのと同じ神に召されるのかどうかは分からないが、ばあちゃんが信じているように、ビーバーは世界で一番、人間が人間らしく生きられる土地なのかもしれない。

⑾ 氷河を実感する

日本で海岸線が凸凹になっているのはリアス海岸で、川の浸食と谷の沈降でできるらしい。一方、バンクーバー島北部で目にしたフィヨルドは、氷河の浸食作用でできると聞いたけれど、「浸食＝外部の力が岩石や地層を削る」ってどういうことか。そもそも、氷河って何？　って感じで、まるで実感が湧かない。じゃあどうするか。氷河を見に行くしかないだろう。

リアス海岸については、多くの日本人が中学か高校で習っているはずだ。岩手県の陸中海岸や福井県の若狭湾などが有名で、長い年月をかけて川が谷を削り落とし続け、一万年くらい前に今の地形が出来上がったらしい。そんなものかなぁと納得できる。

一方、フィヨルドはどうか。氷河が大地を削ることでフィヨルド地形が形成されるというが、氷河そのものが、我々日本人にとっては想像しにくい。雪渓と氷河はどこが違うのか。雪渓が発達して氷河になるのか。最近の研究では、日本の北アルプスにも氷河があるということになっていて、私は以前、そこでテントを張ったことがあるが、どう考えても、普通の雪渓としか思えなかった。いずれにしろ、まず氷河を実感するのが先決だ。

カナダで勉強してた時、カナディアンロッキーのツアーがあり、氷河見学ができるというから参加してみた。遠くの山の斜面に白く盛り上がった巨大な雪の塊があり、「ほら、氷河が見えるだろ」とガイドは当たり前のように言う。遠目で見ても規模が随分大きいようだし、盛り上がっている感じが私の知っている雪渓とはちょっと違う気もするが、もう一つピンと来ない。戦車のような雪上車で霧の立ちこめる斜面を上がって雪原に下りた。普通の雪渓よりも半透明の氷っぽい部分が多いような気もしたが、あいにくの霧雨がそう見せているのかもしれない。「谷全体を覆うバカでかい雪渓」という印象で、氷河と雪渓の決定的違いが分からない。氷河が大地を削りフィヨルドを形成すると言われても、これでは実感が湧かない。

チャンスはひょんなところで訪れた。クマ探しでブリティッシュ・コロンビア州のスチュワートに行く途中だった。湖の向こうに、一目で雪渓とは異なる、谷いっぱいに広がる、雪の長い連なりを発見した。

「舌」のように伸びるからIce Tongueって、こうして見るとそのままの名前だ。

山の斜面のへっこんだ場所に残る「受動的あるいは静的」なものではなく、それは、山のへっこんだ場所に集まった氷と雪が、斜面をずりずり滑り下る「能動的で動きを感じさせる」ものだった。これがまさに氷河だ。正面から眺めると、山の頂から湖に落ちるところまで、氷の河の流れ全体をほぼ見渡すことができた。椅子を出し、紅茶を淹れ、じっくり腰を落ち着けて観察した。氷河の浸食でできたお椀状の広い谷をカールと言うが、上部は「ただ今、カールを造成中」なのが見て取れる。三〇〇〇メートル弱の頂から、雪が氷化した巨大な塊が谷を圧して削り下っている。氷が接している大地は地熱で温度が若干高めだろうから、氷が溶けた水と混ざり合って軟化した土は削ぎ落とされやすくなり、岩も亀裂に水分が入り込んで破砕され、氷河もろとも下へ下へ。ばかでかい氷の塊が何千年、何万年もの長きにわたり下り続ければ、いくらなんでも、大地も削られて当然と納得できる。「ああ、確かに氷河は大地を削る。巨大な氷の塊が重力によって下に移動する際に、大地を削り取るんだな」と実感できた。

その後、北米大陸最高峰のデナリを小型飛行機による氷河見学で訪れた。デナリは氷河の本場中の本場と言えるし、上空からの俯瞰だから、氷河の全体が把握できるんじゃないかと、高額のフライト代を支払った。

眼下は、いたるところ氷河だらけだった。山の峰から始まり、急斜面を下り、合流し、力を増して谷を削り押し広げる。氷河の上に刻まれた幾何学模様は、今も氷河が移動し続けていることを教えてくれる。行く手はツンドラの大地、そしてベーリング海だ。氷の河は大地を削り、細長い谷となって海に達する。その谷が海水でさらに浸食され、フィヨルド独特の海岸線が形成されるのだろう。

バンクーバー島辺りからアンカレッジまで、一〇〇〇キロに及ぶ海岸線はフィヨルド地形の連続で、内陸の奥深くまで切れ込んだ湾と、大小様々の島からなるフィヨルドの大スペクタクルを堪能できるが、ある時、島々の多くが一様に細長い形をしているのに気づいた。フィヨルド湾が内陸の奥深くまで細長く切れ込むのと同時に、湾を取り巻く陸も痩せ細って海に突き出る。そして、その延長線上に細長い島がある。ということは、フィヨルド地形の「細長い」湾・尾根・島は、元を辿ると、これ全て氷河の仕業なのだろう。

こうして、子供の時からの疑問が一つ解消し、「細長い形」の理由も分かった。昔からSeeing is believing.と言うが、うん、確かにその通りだ。

⑿ 納豆と本を愛する男、ランス

フェアバンクス郊外のチェナリバーで大して面白くもない釣りを終え、河畔のベンチで一人ぼーっとしていた時、ランスは現れた。クルマを停め、ズズズっと私に近寄り、いきなり始まった。

大きな背びれが特徴のグレイリング。確かに塩焼きにでもすると旨そうだ。

「僕は来週、ビーバークリークにグレイリング釣りに行くんですよ。あそこは釣れた魚食べれるし。娘も来るんだ」。うーむ。このオッサンは一体何者なんだ、突然現れてベラベラ喋り出して。釣り人なら普通「釣れますか?」ってとこから始まるのに。「僕は納豆大好きなんですよ。納豆にはビタミンK2が含まれてるでしょ。だから自分で作って、毎日食べてますよ」。体を揺すりながらまくし立てる。多分、興に乗ってくると話しながら体を揺するんだな、このオッサンは。しかし、いくらなんでも「いきなり」過ぎる。疲れるなあ、悪い人じゃあないんだろうけど。「アラスカ大学の図書館で働いてますから、図書館来たら納豆ご馳走しますよ。ぜひ、図書館来てください」。このオッサン、大丈夫かなあ。グレイリング釣り、納豆とビタミンK2、図書館。頭の中、どうなってんのかなあ。アラスカでは色々なタイプの人に会ったけど、さすがに初めてだな、こういう人は。

一週間後、ランスからメールが来た。

「ハーイ、センセイ・イノウエ。娘と一緒にビーバークリーク行ってきたよ。クマだらけのところだから、12ゲージのライフル担いでね。でかいのばんばん釣れて、二人で腹いっぱいになった。ぜひ図書館に来て、ビタミンK2の納豆を楽しみましょう！」

森の中で満腹の腹を抱える父娘を想像してみる。父親も相当だけど、それについて行く娘さんも多分タダモノではないな。私の人間カテゴリーでは「変わった人たち」としか言いようがない。ビタミンK2が体のどこにいいのか分からないけれど、ま、せっかくだから行ってみっか、アラスカ大学の図書館。

「八時にする、それとも九時がいいかなあ？」とランス。仕事が終わって一緒に夕食で納豆と思ってた私は、一瞬、夜の八時、九時だと思ったんだけど、どうやら朝らしい。忙しいのかなあ……。ま、いい。

「それでは九時に伺います」って答えた。

約束の朝九時、アラスカ大学の図書館の受付で待っていると、ニコニコ顔のランスがやって来た。そうそう、この歩き方だよ。肩をいからせ上半身を少し揺らしながらカッポカッポ歩く感じ。

「カモーン、キヨシ。お腹減ってるかな。控え室へ行って早速、レッツ・ナットウ、エンジョイ・ビタミンＫ２！」。テーブルにつき、保温バッグからご飯、そして納豆を取り出す。分量が多い。ボウル、箸、甘口と普通タイプの二種類の醤油、それらをランスは得意満面の様子でテーブルに並べた。肩を揺らせて、

「さあ、キヨシ。一緒に納豆食べましょう！」

「いただきます」と声をあげ、私は白米の上に納豆をドバッとかけ、箸でかっこんだ。おお、旨い。粒がちょっと大きめだけどちょうどいい軟らかさで、味は日本の納豆と同じ。ご飯の炊き方も納豆にぴったり合っている。腹パンパンになるまで、私は久々の日本の味

を堪能させてもらった。

「ランス、今日はどうもありがとう。久しぶりに充実した朝ご飯だった。日本に来ることがあったら必ず連絡してくれ。納豆以外にも美味しいものが沢山あるんだ。ざる蕎麦、湯豆腐……、でも、ビタミンがどうなのかは自分で調べてみて」

納豆の後で「ボクの好きなもの、もう一つあります」と連れて行かれた仕事場で、もう一つのランス・ワールドを見た。彼の仕事は、アラスカ大学の図書館の本のリペアをすることだった。本が大好きであること、大学の先生から頼まれて、数多くの本を蘇らせてきたことを、納豆を語るとき以上に嬉しそうな顔で、ランスは体全体を揺らしながら話してくれた。

ランスって人には、純真無垢の心のまま大人になってしまったようなところがある。アラスカの大自然、そこに生きる人々のおおらかさ、そういったものがランスって男を育んだ。後で思い至ったんだけど、なぜ朝の九時だったのか。多分ランスは「納豆は朝ご飯で食べるもの。ビタミンＫ２は朝食べてこそ最高の効果がある」って固く信じてるんだな、きっと。

⒀ ドライキャビンとトイレ

ツンドラでの車中泊は蚊との闘いだ。問題は夕方以降のトイレである。寒さや雨降りくらいなら我慢すればいいが、トイレはそういうわけにいかない。そして、アラスカの蚊は、我々の我慢の限界をはるかに超える。車外にほんのちょっと出るだけで、人の形にボワッと蚊の黒い塊が瞬時に出来上がり、移動に合わせて塊もついてくる。「防蚊」と名のつくもの全てで対抗しても塊には無力だ。クルマのドアを開閉するだけで、蚊の塊は容赦なく車内に押し寄せる。「大」を昼の内に済ませておくのは、ツンドラキャンプの鉄則だ。

二〇年以上の車中泊歴の中で培ったノウハウをアラスカでも最大限活かして、宿代節約と快適な睡眠は問題無しと考えていた。クルマのセカンドシートを倒してフルフラットにし、掛け布団で厚さ一〇センチのスポンジを包んだのを敷き布団として下に敷き、寝袋はモンベルの高級品。よく眠れるし、汚らしい安宿などよりよっぽどいいと思っていたが、繰り返すうち、疲れが取れない気がしてきた。なあに、慣れれば大丈夫と思っても、逆に疲れが溜まってきた。年取ったってのは認めざるを得ないが、それとは別になんともならないのが、トイレと蚊の襲来の問題だった。こちらでの車中泊は睡眠以外のところでストレスが溜まると身に染みた。で、財布と相談しながら、安宿に泊まることが多くなった。

部屋単位での請求になる宿代は、一人旅にはずしりとくる。ホテルは高過ぎて無理。大したことないモーテルやインでも、一〇〇〇〇円前後はする。安いのはコテージやキャビン。ドミトリーは相部屋でさらに安いけれど、イビキのひどい私は気を遣うから無理。ちなみに、各地でよく見かけるＲＶパークは、三〇〇〇円前後で利用できる。「トイレ・ランドリー・シャワー付き車中泊」みたいなもので、山中の車中泊よりだいぶマシだ。他にもマンションや一戸建ての一室、地下室、離れを借りるなど色々ある。大体は期待以上のことが多く、一部を除き決して安い金額ではないが、おしなべて良心的だ。ネットで調べて申し込むが、イングリッシュ・オンリーのため、説明の用語の意味するところがイマイチ分かりづらいことがある。五〇〇〇円前後で泊まれる「ドライキャビン」というのが目に留まり、「ただのキャビンより風通しが良くて過ごしやすいのか」と考えて申し込んだのだが……。

最初のドライキャビン。シンクで食器を洗うたびに床が水浸しに。「変だなぁ。これじゃ名前に逆行してるぞ」なんて考えていたら、「水は洗面器で受けて外に捨てろ、場所はどこでもいいから」の小さな注意書きに後で気づいた。排水パイプくらい簡単につけられると思うのだが、「アラスカの不便さを体験させる」という教育的配慮なのか。トイレは野外に設置されていた。予想通りボットンである。ここのは長年にわたって実によく使い込まれていて、シミと臭いが歳月の長さを物語る。紙はゴミ箱に丸めて捨てなければいけなくて、ある種のコツが必要。なあるほど、「ドライ」とは即ち「水無し＝上水道・下水道とも無し、トイレは外」ということのようである。

同じキャビンでの連泊は、行動予定にもよるが、大体三日から長くて五日程度。快適さはピンからキリまであり、三軒目のドライキャビンは中の上といったところか。シンクの横に水タンクが置かれていて、これはよくあるパターン。汚れた水はパイプでちゃんと外に出て行くので、タイヘン便利である。水は普通に使っていると、一日でタンク二つは消費する。タンクの水はどこから持ってきているのだろうか。自然水は良質で、そのまま飲んでも差し支えないらしいし、水量豊かな川が多数あるから、本来は、水に恵まれた土地のはずだ。しかし冬になると状況は一変する。全てのものが凍りつき、水があっても水が使えないという、極寒の地ならではの特殊事情があるのだ。敢えて不便な思いをして、水の大切さを学ぶいい機会かもしれない。

向かいに同じようなキャビンがもう１棟あり、10メートル離れているけど、同時に用を足すことになったらどうするのだろう。

トイレは、最初のキャビンと構造は同じで、あれがアラスカではスタンダードということか。使用後は消臭効果のあるチップ（カンナ屑みたいなもの）をぶちまける。新築ということもあって歴史が感じられないので、事後の爽快感が格段にいい。

フェアバンクスで最後に泊まったドライキャビン。部屋と設備はまあまあだが、トイレが面白い。入り口への外階段の左側で「大・小」。使用後にチップをぶちまけるが、そもそも遮るものは風にそよぐ薄手のカーテン、半透明の波々板、そして隙間だらけの木の板で、臭いなど籠もりようもなく、この開放感は癖になりそうだ。入り口右は「男の小」専用。ベランダ下に石が積んであるだけで、カーテンも便器も無いから、全然トイレに見えない。臭わないから、何も言われなければ腰掛けてしまいそう。「石の上にテキトーにやればいいのよ」って、ショートパンツのよく似合う若い美人の奥さんが、ジェスチャー付きで説明してくれた。

ドライキャビンはフェアバンクス以北に多いようだ。冬の寒さが上下水道の配管を簡単に破壊してしまうのだろう。ほんの二、三〇年前はアラスカ中のほとんどの家が、ドライキャビンだったとも聞く。しかしだ、冬の夜、ドライキャビンに泊まり、夜中に催したらどうすればいいんだろう。それがアラスカということか。

⒁ 旅を支えてくれた道具たち

安全運転のためにも運転席回りの整理整頓は大切。

旅に工夫はつきものだ。と言うより、工夫の無い旅はつまらないし、様々な工夫をすること自体が、旅の楽しさの一部とさえ言えるだろう。自分なりの工夫によって機能を高めた道具たちは、私の旅の「縁の下の力持ち」的な存在であり、かつ、忠実な子分たちとも言えた。

まずクルマ関係。クルマは移動手段であるだけでなく、居住空間であり寝室でもある。いかに便利かつ効率的にものを配置するかの工夫が運転席回り・荷室ともに必要だ。また、必要なものをパッと取り出すために、モノの置き場を一定にするのも重要だ。

態勢が定着するまでは始終探し物をしていた。

ロングドライブ二日目で、左の手のひらが痛くなってきた。ドライブ用グラブをしていたし、大して力がかかっていたわけではないが、長時間同じ握り方をしていた結果だろう。色々試して、バンドエイドの大判をグラブ内側に貼るのがベストと分かった。たったそれだけで手のひらの痛みは解消し、なかなかのグッドアイディアでしたと自画自賛。

キーホルダーには色々小物を付けた。クルマのキー以外に、豆ライト（旅やキャンプで必携）、旅のお守り（玄奘三蔵由来で「不東」と書かれている。私の場合、ホントは「不南」なのだが）、小さな鈴、そして宿の部屋のキーも一緒にして、ズボンの穴に通した紐にキーホルダーを結ぶ。部屋のカギは、出発時点検で「部屋のカギは返却」を必ず指差し確認した。二回、失敗したので。

時間やスケジュールに縛られる旅ではないのだが、一種の「客観的指標」として、高性能のトレッキング用時計を一時帰国の折に購入した。電池不要のソーラーシステム式電波時計で、時刻・アラーム・ストップウォッチなどの一般的機能の他に、方位・気圧・標高・温度・世界時刻などの特殊機能を備える。一人、山中でキャンプしているとき、こいつを見ると、なんだか心強い。

ゴム長靴 「ツンドラにはゴム長がいいのでは」の予想はぴたりと当たった。カナダで購入した長靴は、安くて頑丈。今は我が家の靴箱にどーんと収まって、いつ来るか分からない次の出番をじっと待っている。

ノート二種 一つは塾を経営していた時から使っていたビジネスダイアリーで、もう一つは旅の全てを記録する『アラスカノート』だ。二冊に分けて役割分担させたことで使いやすくなり、後々まで大変重宝した。

スマホ 宿舎や飛行機・フェリーの予約、写真の撮影、日本との連絡、調べものなど、今時の旅はこれ無しではやっていけないと痛感した。日本にいた時は最低限の使い方しかできなかったが、必要に迫られて少しは上達したかも。ただ、機械のくせにたまにグズることがあって、そういうときは、分かる人を現地で探すしかない。

小型ＰＣ 写真のデータ管理、ブログなど、スマホでカバーしきれないところを頑張ってもらった。写真データの保管場所なので、大容量のメモリーと外付けハードディスクがあった方がいい。小型のマックを新たに購入したが、事前に聞いていた以上にこちらはウィンドウズが根強く、容量さえ確保できれば、ウィンドウズでも問題なかったかもしれない。

六〇〇ミリ望遠レンズと三脚　レンズはこれ以外に広角・標準ズーム・一一〇ミリマクロを持って行った。六〇〇ミリを買うかどうかは随分迷ったが、大型野生動物の撮影は滅多にあることではないと考え大枚をはたいた。相応の三脚とセットで五キロ超。野生動物の撮影ではダントツの活躍を見せ、いつでも撮影できるよう、六〇〇ミリ＋三脚のセットのまま、クルマの荷物室に置いておくことが多かった。

名刺　表は日本語、裏は英語の名刺を日本で作っておいた。「日本に来ることあったら連絡して」と言って五〇人以上の人に渡した。本当に来るかどうかは分からないが。

不要だったのはカヤックの道具。自分のカヤックの持ち込みは諦めたが、道具は一通り持ち込んだ。「アラスカでは、カヤックも重要かつ便利な移動手段」と想像したからだが、実際はそこまで手が回らなかった。ホワイトホースの町外れにカヌーやカヤックの発着場があって、出発準備をしているカップルがいた。「どこまで行くの？」と尋ねたら、女の子が「ベーリング海まで」と答えて、ヒャッホーと大声上げて出ていった。「一ヶ月かけてのんびりと」とか言っていたけれど、ちょっと羨ましかった。

最後に、恥ずかしながらこれについて触れずにはいられない。「道具たち」というのとはちょっと違うが、私をいい気分にし、勇気づけ、慰め、旅を支えてくれた「音楽」である。スマホをレンタカーのナビにブルートゥース接続し、選曲をランダムにして、運転中はいつも音楽を聴いていた。特に心に染み入った曲やミュージシャンは次の通り。

ジャンゴ・ラインハルト　古き良き時代の音と香りが、迷いも不安も無い澄んだ気持ちにさせてくれる。「そうか、別に全てが悪いわけじゃないんだ。間違ったってやり直せばいいし、俺にはそれしかないんだから……」と私を明日へ押し出してくれた。

ベートーベン『月光』　クラシックなんてまるで縁のなかった私だが、たまたま母親がベートーベンについて話していたのを思い出してスマホに入れておいた。力強さと気高さを併せ持つ旋律。全ての音が必然性をもって心の奥底に語りかけてくる。

ジミー・ヘンドリクス『Little Wing』　ハードロックの天才ギタリストのイメージだろうが、実は生音を大事にしている繊細さの塊のような男だ。インディアンと黒人のハーフである彼にはシャーマンの血が混じっていると、私は勝手に想像している。

ジョン・レノン『Don't Let Me Down』　ビートルズが二〇世紀最高のバンドと担がれた時も、ヨーコに逃げられてドラッグに溺れてた時も、いつも全力投球。ある時はかっこいい先輩として、ある時は反面教師として、「我が心の兄＝ジョン」は私のハートの中にあり続ける。

ちあき なおみ『喝采』 ライブ風にアレンジされたスタジオ録音か。抑制されたイントロに導き出された透明な歌声が、音の広がりにつれて心の情景を見事に描き出す。一回だけ出てくる「あ・な・た」の一言に、恋人に対する全ての想いが凝縮されている。『黄昏のビギン』も甲乙つけがたく、日本人ていうのは、なんと「切なさ」に弱いんだろう。

⒂ オーロラ大先生

フェアバンクスがどんなところか、ガイドブック『地球の歩き方』を見たら、「アラスカ大学フェアバンクス校では、オーロラ研究の世界的権威である赤祖父俊一氏が今も研究を続けられていて、研究棟は氏の名前を冠してアカソフビルディングと名付けられている」とあった。へぇー、そーなんだ。偉い学者なんだろうなあと、これは一週間前のこと。

納豆愛好家ランスからのメールで、「友人のロン・イノウエ氏に会ってみないか。彼は日系人に顔が広いから」と勧められた。「中に入り込んでいく」のが旅の妙味でもあり、「ぜひ、お会いしたい。お願いします」と返した。日系人だから納豆ファンでもあるのかな。しばらくして、今度はイノウエ氏から連絡があり、「アラスカ大学で昆虫学を教えているデレク・サイクス教授を紹介するから、お会いしてチョウチョ談義に花を咲かせてみたら」ときた。そして、極め付きは「赤祖父先生に、あなたがフランク安田の墓参りのためにビーバーに行ったことを話したら、『ぜひ会って話を聞きたい』とおっしゃってるから、なんとか時間を作ってくださいと言われるではないか。世界レベルの学者に会って、直接話ができるなんてチャンスは滅多にあるものじゃない。まごついて言葉が出なくなっても、ま、気にしないどこう。「先生はお忙しくてなかなか電話で捕まえにくい。何回か電話してみて」と電話番号を書いたメモを渡された。

一回目の電話。ルー、ルー、年配の人の声で「ハロー」。うわ、いきなりご本人が出たみたい。「ハロー。ディス イズ キヨシ イノウエ スピーキン……」。いや本人なら日本語でいいんだ。「先生、お忙しいとこ恐れ入りますが……」、「うーん、ちょっと手が離せなくて、また電話ください」。「それは大変失礼いたし……」、カチャ。あぁ、びっくりした。でも、拍子抜け。

次の日、二回目の電話。ルー、ルー、ルー、「赤祖父先生ですか。ロン・イノウエ氏からご紹介いただきました井上で……」、「あ、午前中なら大丈夫。そう、よかったらおいでください」とあっさり話がまとまって、本当に会うことになった。

会う前にウィキペディアを見たら、著作は勿論のこと、研究の概要、受賞歴、現在の立場など書いてあり、本当にすごい学者なんだというのが私にも分かる。時間を無駄にさせては申し訳無いから、話すことを簡単にまとめて、普段よりやや綺麗めの格好をして、レッツ・ゴー・アカソフビルディング！

「先生、ビーバー村に行って参りました井上でございます」と切り出し、フランク安田が眠るビーバー村の様子をお話しした。フランク安田の墓が草ボウボウであること、彼が七、八〇年前まで営んでいた交易所は半分崩れかけていること、奥さんのネビロに可愛がられていたおばあちゃんと話したこと、ビーバー村には宿泊施設が無いので、今は普通の旅行者は簡単には訪問できないことなどを説明した。赤祖父先生は、「数年前に私もビーバーに行きました」とおっしゃられていたが、それ以降も現地の情報には留意されていたようで、村の現状について大体把握されていた。話題がだんだん広がり、『アラスカ物語』の取材のために訪れた時の新田次郎氏との交流、フランク安田の子供や孫たちの近況、そしてご自身が若い時にチョウチョに興味を持って収集されていたことなどまで、こちらが拝聴させてもらうことの方が多かった。

一時間ほどで私は研究室を辞した。大きな粗相もなくホッとした思いでアカソフビルディングを出て、はて、なんで先生は一介の旅人に過ぎない私をわざわざ研究室に呼び寄せて話を聞いたんだろう。勿論、フランク安田に対する思いがそうさせたに違いない。そして、私がビーバーの交易所を見て「ナントカシナイト」と思ったのと似たようなことを、先生は以前から感じておられたのではないか。実は先生は『アラスカ物語』の英訳本を作ってアラスカの小中学校に配布したりもしていた。本来の自分の専門の仕事だけでも大変なエネルギーと時間が要るはずなのに、先生はそこに止まらずに、アラスカと特別な縁で結ばれそこで暮らす日本人として、「フランク安田の為したことを歴史の闇に埋もれさせてはいけない」の思いを今も持ち続けていらっしゃる。そこまで考えて、私は、大学者を前にかしこまりまくっていた自分の小心が可笑しくなってきた。

先生、お世話になりました。今度はチョウチョの話をしたいですね。

今も若い心のままにオーロラを追い続け、ビーバーに心を寄せる赤祖父先生、わざわざお招きいただきありがとうございました。私のビーバー報告は、先生からしたらすでにご存知のことばかりだったようですし、逆に先生から色々興味深い話を聞かせていただき、恐縮至極です。人生の大半をオーロラ研究に費やし、常に宇宙と太陽と……、浅学な私にはこれ以上単語が続きませんが、人間のスケールをはるかに超えた世界と日々対峙しつつ、一方で、フランク安田のことを今も考え続けていらっしゃるのが、私にもよく分かりました。先生がおっしゃられていた通り、交易所の保全、例えばそれが屋根の簡単な補修程度でも、一筋縄ではいかないであろうことも理解いたしました。と同時に、ほんの一時間ほどの短い時間でしたが、凡人には計り知れないスケールの大きな研究をされる先生を間近に見させていただき、先生のエネルギーのおこぼれをいただいたような心境でもあります。

日本に戻ったら、まず、フランク安田に関係する人たちに連絡を取ってみます。そして、関係各位のお力を一つにすることはできないものか、「フランク安田交易所保全」プロジェクトを具体的なものにできないか、方策を考えます。「ナントカシナイト」の思いが思いのままで終わらないよう、現実の形あるものを生み出す活動になるよう、いささか荷が重過ぎると思いながらも、その方向をめざします。プロジェクトの内容が具体的になったところで、また、ご連絡したいと厚かましくも考えておりますので、その節は、宜しくお願いいいたします。本当にありがとうございました。

⒃ 地の果てるところ

走っても　走っても　ツンドラ

ドーソンの町からオフロードをどれだけ走っただろう。広大無辺のツンドラにまっすぐ伸びる道の先には地の果てがあり、その向こうには北極海が広がっているはずだ。でも、何時間も同じ景色が続いていて、標高が低くなっている気がしない。

そんな時、「不思議な浮遊感」のことを久しぶりに思い出した。一年前、ビクトリアに着いて数日経った時に「不思議な浮遊感」体験があって、非日常の連続、疲れ、刺激の過多などが原因だったのか、奇妙な感じだった。ダウンタウンをうろついていた時、歩いてはいるんだけど、どうもしっかりと自分の足が地に着いていないような、地面から二〇センチくらい浮いた状態のまま、町のあちこちを移動しているような気がした。「セグウェイ無しのセグウェイ」とでも言ったらいいんだろうか。疲れているな。時差ぼけがまだ治りきってなかったのかな。今日は早めにホテルに戻って、明日は一日部屋でグダグダしていよう。一五時間も寝てりゃしゃっきりしてくるだろう。それに、新しい環境に馴染んでくれば、こんな奇妙な感覚は出なくなるさ。その後三ヶ月が過ぎて、町にもだいぶ馴染み、友達も沢山できた。学校では「最も誰とでも話す変なおっさん」と化していた。

短期帰国を経て二度目のカナダ。最初の一ヶ月は学校に再度通い、その後、ユーコン・アラスカの旅に出た。四〇年ぶりの気ままな一人旅だが、日本を出る前から、この旅の真の目的地は北極海と決めていた。どのように考えて決めたのか、自分でもよく覚えていないのだが、何しろ、そう決まっていた。クマを探したり、チョウチョを追い求めたり、あちこち色々寄り道をしながらも、六月下旬には北極海へ通ずる道の入り口にいた。

北上するにつれ、マッケンジー川の蛇行によって造られた三日月湖らしきが目立つようになってきた。一見、海と見まごうような大きなのもあって紛らわしい。地平線まで続くツンドラのどこかに水平線が、もう、そろそろ見えてもいいんじゃないか。いや、水平線というのは、自分が立っている場所にある程度の高さがあるから見えるのであって、もし陸地が海水面と同じように途方もなく広く平坦で、かつ両者の標高差が無きに等しい状態だったら、果たして水平線は見えるのか見えないのか、見えるとしたら、どんな風に見えるのか。普通とは違った見え方になるのか。

それにしても、標高を一〇メートル下げるのに、一体何キロ走らなければならないのだろう。反比例のグラフが永遠に座標軸にくっつかないのと、これはなんだか似ているぞ。それでも、陸と水面、それは川であったり大小の湖であったりだけれど、その面積比率は、少しずつ水面が優勢になってきた。水面と道は水を張った田んぼとあぜ道程度の高低差しかなくて、大雨が降ったら一体どうなるんだろう、そんなことを考えながら走り続けていたら、最果ての集落トゥクトヤクトゥクに到着した。水面の比率はさらに増し、湖のようにも海のようにも見える水面が集落のあちこちにある。恐らくそれは潟湖、いわゆるラグーンというやつで、近くの子供に「ちゃんとした海を見るにはどこへ行けばいいの？」と問うたら、「あっち」と指差した。心を落ち着けて、ゆっくりクルマを「あっち」へ進める。

村はずれの軍用施設のような大きな建物の脇をすり抜けて前方を見たら、さっきまでの川や湖とは明らかに違う水面、小さいけれどはっきりと波を立てている海が、当たり前のように眼前に広がっていた。波の様子からして陸はすぐに海底深くには沈下しないで、遠浅になっているようだ。茶色の海水は、陸と海がいつまでも平行を保ったまま続いていることを示しているように感じられた。

真北をめざしてさらに二〇〇〇キロ進めば、そこは北極点だ。ドーソンからここまでが二泊三日で九〇〇キロ弱だから、道さえあれば四、五日というところか。行けるものなら行ってみたい。何と言っても「地球のてっぺん」なのだから、北極点は。地球の自転の遠心力と引力という二つの力の関係は、北極点と赤道とで変わらないものなのか。北極点の周りは平らな氷原があるだけだろうから、宇宙の半分の星が同時に全部見えてしまうということか。オゾン層が破壊されているって聞くけれど、人間を含めた北極周辺の生物に悪影響はないのだろうか……、色々なことが頭の中をぐるぐる回り、奇妙な浮遊感などはとっくにどこかへ消し飛び、しかし眼前の海は変わらずに海、そのものであった。

あと2000キロで北極点。地球のてっぺんから見える景色はどんなだろう。

⒄ 彼らの社会

今回の旅では本当に多くの人と出会い、お世話になり、助けられ、人間、皆同じ、「人類、皆兄弟」みたいに感じることが多かったけれど、たまに「これって何なの？」とか「我々の感覚では理解できませんな」みたいなこともあったりして……。

まず最初はＤＢ問題、つまり、太り過ぎのことである。こちらの人の多くは、どう考えても脂肪分の摂り過ぎだ。食べる分量も半端ではない。コーラ・フライドポテト・ピザ・ホットドッグなど、どれも日本の二倍のサイズで出てくる。これらをこちらの人はむしゃむしゃと旨そうに全部簡単に平らげる。最近は健康ブームで、サプリメントやダイエットを考えたシリアルが人気のようだ。フィットネスクラブに通ったり、ジョギングとかウォーキングとかを熱心にやる人は多い。しかし、そんなことより、脂分や糖分の少ない食品をメインにして、量を半分にする方が理に適っているのではないか。将来的な地球規模の食糧不足問題の対策は、このＤＢ問題と表裏一体で進めれば一石二鳥で解決すると、半ば本気で考えたりする。こちらの人は若いうちはスタイルが良くて実にかっこいいんだけれど、高校くらいからDBり出して、三〇歳にならずして相撲取り体型、中年になると歩行にも支障をきたし、最後は「倒れても自力で立ち上がるの不可能」のSPDBになる……なんて偉そうに言いながら、ふと我が下腹を見ると、問題解決は決して容易ではないと、うむ、認めよう。

次はマリファナの問題だ。カナダではマリファナは合法で、アメリカは州によって違うらしい。日本みたいに厳しく取り締まることはなく、「まあ皆さん、自己責任で楽しんで」みたいなスタンスだ。町を歩いていると、どこからともなくマリファナの匂いがするなんてのはそんなに珍しくないし、ホワイトホースで安宿に泊まった時、隣の部屋のオッサンが夕方決まった時刻に部屋の前のベンチでマリファナをくゆらしていたなんてこともあった。

こちらにはマリファナ専門店というのがあり、「やばそ～」感が店構えから漂ってくるが、「探究心を失わず」の精神でショップに突入した。でも、入り口で身分証明書を見せるだけで、他は普通の商店と全然変わらなかった、お客も、店員も。

観光地シトカのマリファナショップ。どれだか分かりますか？

アルコールとドラッグ（マリファナはドラッグではないと言う人もいるようだが）の両方を合法にしているのは、歴史的にあまり例が無いと聞いたことがある。「自由」は結構だが、人間、どこかで「歯止め」があっていいとも思うのだが。

最後は「大らか過ぎ、人を信用し過ぎ」の問題。アラスカの人は「問題」とは多分考えていないのだろうが、私は十分にびっくりした。

宿泊先は、予約サイトを通して一週間くらい前に押さえておくのが普通だ。気の向くままの一人旅だから、そんなに先々まで予定を決めたくないし、かといって、あまりにギリギリだとそれはそれで問題だ。数日前に一回連絡して、予約の確認をする。当日も、到着時刻を連絡。やり取りは全てメールだが、予約サイトを通してのメールもあれば、直通のメールになってしまうときもあるようだ。

フェアバンクスでのこと。連絡しておいた時刻より一時間ほど早めに宿泊先に着いてしまった。三階建ての立派なデュープレックス（二世帯で一つの建物になる形式）だ。「早めに着いてしまった」旨メールすると、「カギは玄関マットの下に隠してあるから勝手にお入りください。旦那は今夜は帰宅しません。私は七時前には帰宅するから。冷蔵庫のもの、テキトーに食べていいから。ま、ご自由に。エンジョイ！」みたいな返事。

「ふーむ。イイカゲンと言うか、随分と開けっ広げなものなんだなあ」

中に入るとなかなかの豪邸だ。やたら広々していて、置いてあるものが高級そう。八時、まだ帰ってこない。

「やっぱりアメリカは豊かだなあ。ここってホントにアラスカなのかなあ」などと感心しながら、広いリビングで一人ビールを飲むも、「だれもいない他人の家」はどうも落ち着かない。ちょっと悪いと思いつつ、いや、「向こうがちゃんと帰って来ないのがいけないんだ」とシャワーを浴び、それでも帰って来ないから、ビールからウィスキーになって、テーブルからソファに移動し、さて、三杯目をと考えていたらやっと階下のガレージのシャッターの音がして、女主人スージー様のお帰りだ。時刻は十時過ぎ。「初めまして&

ハロー、キヨシさん。友達とちょっと飲んじゃって」とか言って、ほんのり赤い顔。お高級そうなミニの赤いドレスで裸足で階段上がって来て、これって日本ではありえない。

それだけのことだから、まあ、別にいいのだけれど……。でもね、もし私が悪い奴だったらどうすんのかね……と、余計な心配までさせられた夜ではあった。

⒅ ベーリンジア

何年か前に読んだ本に「ベーリンジアは一度行くと病みつきになる」みたいなことが書いてあって、妙にこれが頭にこびりついた。ベーリンジアとは、ウン万年前にシベリアとアラスカが陸続きだった場所のことで、そんな「僻地の中の僻地」を繰り返し訪れるなんて、人生を捨ててでもしない限り無理なんじゃないか。病みつきは私には無理だけれど、せっかく近くまで来たんだからと、ベーリンジアに近いノーム行きの飛行機を予約した。

出発前にはホワイトホースのベーリンジア博物館で「にわか勉強」をした。ベーリンジアは今から数万年前の氷河期に海水面が今より一〇〇メートル下がったことで、ユーラシア大陸・北米大陸の二大陸が陸続きになった時の南北の幅が一六〇〇キロの陸橋で、一万年前の間氷期に海に没した。ここを通ってシベリアからアラスカに分布を広げたのはマンモス・トラ・オオカミなどいくつも挙げられるけれど、もっと重要なのは、モンゴロイド、即ち我々の祖先がここを渡って新大陸に移り住んだということだ。グレートジャーニーとも称される太古の人類の壮大な歴史ドラマの一つのクライマックスが、ベーリンジアと言えるだろう。

宿の女主人が「はーい、キヨシ。後で友達の店に飲みに行くけど、あなたも来る？　海の近くの洒落たパブなんだけど」と誘ってくれた。「ベーリング海峡が見えるんだね。勿論、行きま～す」。「それじゃ、海を見てからお店に行きましょ」となり、未舗装の悪路を女主人はかなりのスピードで飛ばす。凸凹の振動で頭をクルマの天井に二度ぶつけ、海に向かっているのは確かだが、右に見えていた海がしばらくしたら左になり、両側の海が接近して、クルマは砂州上の細い道をひた走っている。たまに出てくる橋で二つの海が瞬間繋がったりしながら、低い丘を越したところで左右の海が一つに合わさった。冷たい雨で霞む沖合まで、鉛色の海原が眼前に広がっていた。太古の昔、我々の祖先が数千年の時間をかけて渡ったベーリンジアの海だ。

浜辺には女主人の小屋があった。たまに家族で来て楽しむんだという。海霧のせいで室内は湿気ていたが、テーブルセットや小型ベッドなどが備え付けられていた。小屋の前の砂浜には、カリブーとサーモンの骨でできたオブジェみたいなものがあった。先住の人たちによるものかと思ったが、旦那さんと娘さんがこの前来た時に作った作品だった。

友人のパブに立ち寄った。壁一面に世界の紙幣が画鋲で貼られている。マスターは元ヤンキー風の兄ちゃんで、お姉さんが日本に行ったことがあるとかで、「日本はサイコーだぜ」と言って、最初のビールは彼が驕ってくれた。毎日同じような話題ばかりの常連客たちの中に、東洋からの変なオッサンが突然紛れ込んだものだから、皆、好き勝手に色々なことを質問してきた。私は最新のグリズリー情報を仕入れた。

次の日、冷たい雨がそぼ降る中、ノームの町をぶらついた。一〇〇メートルほどの道の両側にスーパー・レストラン・土産物屋・ガソリンスタンド・ホテル・役場などが点在し、「開かれた町」という印象がある。見かける人々は白

アスファルト舗装なのか単なる泥道か、区別できない。

人・イヌイット・アジア系など様々だ。北極海を見るために訪れたイヌビクやトゥクトヤクトゥクに比べると、イヌイットの人たちの比率が低いように感じた。パブで軽くひっかけて店を冷やかしながら歩いていたら、漁協の販売所に行き着いた。中を覗くと、大きな水槽の中でタラバガニがのそのそと動いている。そう言えばハーバーには小型漁船がいくつも係留されていた。ここは漁業が盛んなんだな。しっかりした産業があることが、町の表情を明るくしているのだろう。「よし、今晩はカニ。たらふく食うぞ！」。一番デカイのを二〇ドルで買い求め、ビニール袋の中で最後の抵抗を続ける食材をぶら下げて、宿への道を急いだ。

　昔、ベーリンジアを渡ってやって来た多くのモンゴロイドは暖かい気候を求めて大陸各地に散らばって行ったが、中には南下せずに、この地方の豊かな海の恵みを糧にして命を繋いでいった人たちがいたのではないか。ノームの町でスーパーのレジを打ち、カニ捕り漁船に乗り込み、パブを営み、役場で働き、あるいは家庭の主婦となり、そういう人たちの中に、ベーリンジアを渡ってこの地に定着した一群を直接の祖先とする人々がいるかもしれない。そう考えると、私がノームの町で目にしたものは、人類の壮大なドラマのエピローグということになるのだろう。

百年以上前、この地にやって来た欧米人が「ここはなんていう土地だ？」と尋ねたら、ネイティブの人が「ノーネーム（名前なんて無いよ）」と返し、それを聞き違えてノーム（Nome）と呼ばれるようになったという話がある。探検家ベーリングが命懸けで航海した海峡に面する町には、寒さを除けば、我々のと基本的にはあまり変わらぬ暮らしがある。今はグレートジャーニーもはるか彼方、ノームは人々の慎ましやかな生活に彩られた、静かで平和な、ごく普通の町であった。

⒆ 空飛ぶインディアンガール

ベーリング海に面したノームという町では、実はトンデモナイ女の子に会っていた。冷たい雨の降る飛行場から乗合タクシーを飛ばして宿泊先へ。玄関ドアを開けてハローと叫んだら出てきたのが二十歳前後のちょっと色黒の女の子、アールオゥヒ・パンディットさん、略してアールオゥであった。

「今、オーナーさんは外出してて、夕方まで帰りません。お客さんの部屋は多分奥のドアの部屋ですから、勝手に入っててください」とアールオゥは丁寧に説明してくれた。

「ありがとう。ここの娘さんじゃないんだね。どこから来たの？」

「カナダのアルバータから来ました、飛行機で」

礼儀正しいのは分かるが、言ってる内容がちょっと変わってる。ノームはアラスカの他の町と陸路では繋がっていないから、アンカレッジから飛行機で来る以外に方法は無い。アルバータはカナダだから、生まれ故郷とか現住所とかいうことなんだろうか。

「ふーん。じゃ、旅行中なんだね」

「旅行中っていうか、天候が回復するの待ってるんです」

やはり言ってることが「変わってる」と言うか「変」と言うべきか。

「今日だって飛行機飛んでるよ、雨降ってるけど」

「私の飛行機は小さいから、こんな天候のときは無理なんです」

完全に「変」である。

「天気が回復したらどこ行っちゃうわけ?」と訝し気な顔で尋ねたら、最初と変わらぬ真面目な表情のまま、

「ロシアに寄って、インドに帰ります」

うーむ。これは「変」ではなくて、おちょくってるってことなのか。ここからロシアへ行く定期便なんてあるわけ無いし、自家用飛行機でもない限り無理な話だ。この子が大金持ちのお嬢様で召使いが自家用機を操縦して……、いやいや、もしそうなら、こんな安宿にいるわけない。となると、この子が自分で操縦して……。アンビリーバブル!

「あの、君が自分で飛行機操縦してここまで来たんじゃないよね」

「自分で操縦して来ました」。ケロッとした顔で答える。もしかすると、この子……、

「んじゃ、君って、パイロットのわけ?」

「はい」

まだ半信半疑なのだが、

「で、次はロシアって、ベーリング海峡渡らなくちゃいけないんだよ」と言いながらやっと事態が飲み込めて、

「俺も行きたいよ。一緒に連れてってよ」

「すいません。飛行機二人乗りで私の荷物が沢山だから、乗せられないんです」

あどけなさの残るアールオゥが一人で飛行機操縦して、この後、ベーリング海峡を飛び越えてインドに帰るって、これでびっくりしないで、どこでびっくりしたらいいんだ級の話である。夕食後、じっくり話を聞いた。

——なんでパイロットになったの?

速いのが気持ちいいんです。それに、どこにでも飛んでいけるから楽しいし。

——怖くないの?

私の飛行機はクルマよりちょっと速い程度だから、怖いと感じたことはあんまりありません。空高く飛んでると、とっても気持ちいいんですよ。

——パイロットになることに、お家の人は反対しなかったの？

父は強く反対しましたけど、何回も何回も話し合って許して（お父さんからすると「諦めて」のような気もするが）もらいました。家にはしょっ中、連絡してます。さっきも父と話したし。

——自家用飛行機持ってるなんて、君の家はチョーお金持ちなんだね。

自家用飛行機じゃなくて、所属する会社のものです。でも、乗るのは私だけだから、実質的には自家用みたいなものかな。父は清掃関係の会社を経営してますが、リッチじゃないです。母は専業主婦。姉は法律の勉強をしています。

——トイレとか食事はどうしてるの？

ごく普通の娘さんが小型飛行機で世界を飛び回るって、そういう人もいるんだね、世界には。

飛行前の飲食は我慢します。食事はスナック菓子などで済ませます。

——ストイックだねえ。具体的な目標みたいのはあるの？

女性の世界一周飛行の最短記録を更新するのが目標です。今回の飛行も世界一周の途中なんです。私は二つの世界記録（女性単独大西洋飛行、同じくグリーンランド飛行）を持ってるんですよ。

——それじゃ、インドじゃ有名人なんだね。

有名じゃないです。でも、私のこと知ってる人はいっぱいいるかも。

——今まで行った中で、どこが一番よかった？

イングランドの湖水地方かな。あ、グリーンランドもとっても素敵でした。

——日本には来ないの？

そのうち行きたいです。でも、日本は飛行場の許可が簡単に取れないんです。

——そうかあ。でも、もし来ることあったら、ぜひ小型飛行機で来てね。私も日本一周飛行のお伴したいから。

はい。分かりました。でも体重は四〇キロまででお願いします。

次の日、誘われてノームの町を散策した。色々案内してくれたから、お礼にオムレッツ作ってあげたのだが、この子、料理は全くダメとか言ってて、えらく感謝された。翌朝、言葉通り、なんと、目玉焼きを作るのに失敗していた。小型飛行機乗って世界を飛び回る女の子は文句無しにすごいが、目玉焼き作れない女の子というのも、これはこれでなかなかレアかもしれない。

⒇ やばかったこと

旅に出る前は、あらゆる状況を想定して対策を講じた。特に気をつけなければいけないのはクルマとクマ、そしてもしかすると人だと考えていた。

〈クルマの追い越し〉 アップダウンはあるものの、どこまでも真っ直ぐに気持ちよく伸びるハイウェイを、スキャグウェイめざして快適に飛ばしていたら、キャンピングカーが二台見えてきた。中央ラインは追い越しOKの破線。二台まとめて抜くか。上り坂に差し掛かったところで反対車線に移り、連なって走ってると思った二台が、あっ、意外と離れている。考える前に足が勝手にアクセルを踏み込んだ。上り坂だから加速が悪い。坂のピークが近づいて来る。「元の車線に戻ろうか」と一瞬迷ったが、アクセルをさらに踏み込んで追い抜き、上り坂のピークを過ぎてから元の車線に戻ってゾッとした。もし、あの時、上り坂のピークの向こうから対向車が来ていたら……。

教訓 「追い越しは追い越し用レーンがあり、かつ先の先まで見通しがきく場合のみ」と決め、最後まで徹底。命に関わることなので、ダッシュボードに注意書きを早速貼った。

〈宿に財布とパスポートを置き忘れた〉 クルマは快調にアラスカハイウェイを疾走していた。昨夜はインド人のばあ様が作ったカレーとタンドリーチキンを腹ぱんぱんになるまで食べ、その後はぐっすり眠れたから頭はすっきり、体調がすこぶるよろしい。クマが多いと噂のスチュワートへ向けて、心はルンルン、エンジンはブンブンなんて馬鹿なこと言ってたら、あ、いけね、パスポートと財布を宿に置き忘れた。クルマを停めて、二時間前に出たモーテルに電話する。

「さっきそちらを出たキヨシ・イノウエです。部屋にジャケット置き忘れたみたいで……」、言うべきか言わざるべきかちょっと迷ったが、「実は、パスポートと財布が入ってるんですよ、そのジャケット」

「そういえば、掃除した母ちゃんが、お客の忘れ物とか言って、なんか持って来たなぁ、ちょっと待って。あぁ、あった。あったよ、お客さん」

「すぐ戻りますから、ちゃんと取っといて。よろしく！」

二時間後、パスポートと財布は無事戻った。カード類も大丈夫だった。宿のおっちゃんと肩組んで記念撮影。「あんたが正直者で本当に助かった。あんたは日本とインドの友好の架け橋だ」。

教訓　忘れ物が無いように、移動のときは運転席前の注意書き「重要なものリスト」を見て必ず確認。こういうときにこそチップをはずむべし。

〈丸太の通り抜けでレンタカーのドアをへっこます〉　クマを探しまくってヘトヘトになり、キャンプ場に着いた時、辺りはすでに真っ暗だった。誰もいない森の中、入り口からすぐのところで倒木が道を塞ぎ、でも、チェーンソーで木の出っ張りをカットしてある。ということは、なんとかいけそうか。朝からの運転の疲れで、クルマから降りて確認することすらしないで、「通れる、通れる」と念じながらハンドルを操作。ギギと嫌な音がして、えっ？　と思ったけれど、疲れがやること全てを雑にした。そのまま進んで、だめ押しのギギギギの異音。やっちまった。右側のドア二枚をへっこませてしまった。費用のことを考えると、森の中で大声を出したい、「オレのバカヤロー！」と。旅が始まったばかりだというのに、しょんぼり、げんなり。

教訓 安全が確認できない場合は、必ずクルマを降りて確認すること。クルマ保険はケチらないこと。※四ヶ月後のレンタカー返却まで、道中ずっと気がかりだったが、なんと「車体自損」の保険で全額カバーできた。めでたし、めでたし。

〈突然、ポリに呼び止められる〉

南アラスカはヘインズの町外れ。パトがすぐ後ろを走っている。邪魔になっては申し訳無いと道脇にクルマを寄せたら、パトも同じことをする。えっ、これって私のクルマに用があるわけ？　なんかいけないことしたかなぁと腑に落ちないままスピードを落としたら、パトもまた同じことをするではないか。心当たりが全く無いけれど、停車するしかない、この状況では。やはりパトも停まる、うーむ。ドアを開けて外に出ようとしたら、「出るな。車内にとどまれ！」と厳めしい顔で一喝され、一瞬で全身がこわばる。一九〇センチはあろうかというアメリカンサイズのポリがのっしのっしと私のところまで来て、免許証・パスポートをチェック。「レンタカーなら契約書を見せろ。保険に入ってるんだろうな」。こんなときに限って必要なものが出てこないのが人生というものだ。そこいら中をひっくり返すが、ポリのガタイのでかさと腰のピストルで頭が混乱して、いくら探しても契約書など出てくる気が全然しない。レンタカ

親切なお巡りさんでホントよかったです。

ーの見積書があったからとりあえずそれを渡して、また必死で探し始め……、

「保険についてのメモがあるな。ま、いいだろう。あんたは二〇マイルのスピードオーバーだった。本来なら切符を切るところだが、ちゃんと保険にも入っているようだから今回だけは見逃してやる」。

おぉ、お顔の割になんて優しく柔軟な対応。アメリカのポリはピストルをすぐ抜くってイメージがあったから、心底ビビりました。

教訓 制限速度の表示に注意。ポリには逆らわない。

〈見知らぬオヤジに連れて行かれたやばい店〉

「たまには外で」と考えて、一人、パブで

地ビールを静かに飲んでいたら、隣席のオヤジと意気投合。二軒目までは覚えていたが、その後が朦朧としている。三軒目の店に入る時、ネオンサインがやたら眩しく妖しいのには気づいたが。

入って左は博打場、右はきれいに着飾ったお姉さんたちがズラリ。これはちょっとやばいかな、なんて思う間もなくアラスカ風やり手バーサンが出てきて、盛んに奥の部屋に誘うが、ここでついて行ったらどうなるかくらいの判断は、まだ、できた。でも、せっかくだからとバーボン・ウィズ・アイスを頼み、一番きれいなお姉さんとしばしお話しした。いつの間にかオヤジの姿は無い。まさか、奥の部屋に行っちゃいないよなあ……、高いんじゃないかなあ……、わたしゃ、知らんよ……。途切れ途切れに考えながらも、お姉さんのせいでバーボンのピッチが速い。いつしかお姉さんが二人になっていて、アラスカで飲むバーボンてのも悪くないねえ。じゃあ、もう一杯、いっちまうか。頭の芯がグーラグラ回り出し、一体、お姉さんは何人になったのか……。

店を出る時は再び例のオヤジと一緒だった。その後、一人で歩道をとぼとぼ歩き、どっと疲れが出て悪酔いし、ま、こんなこともあったなあ、アラスカでは。

教訓 知らないオヤジには安易について行かない。財布にいくら入っているかはしっかり把握しておく。　※お姉さんたちの写真を撮ることはできなかった、残念ながら。

クマに追いかけられて川の中で転んだり、暗くなるまで釣りをして帰り道が分からなくなったり、山の中で尿路結石が再発したりなんていうこともあった。自分が気づかない「危険とのニアミス」もきっとあったと思う。でも、何しろ、最後まで旅を続けられ、無事帰国できたのはありがたいことだ。中一の秋に一人で山を歩き始めて以降、色々なところを歩いてきたせいで、「危険に対する感覚」だけはそれなりに備わったのだろう。その辺のことが今回の長旅で、山の中でも、町にいても、役立ったのではないだろうか。「どんな経験も必ずいつかどこかで役に立つんだよ」と先代のばあ様が私の頭を撫でながらよく言っていたが、昔の人の言うことは、やはり奥が深い。

㉑ アリューシャン探訪

今から五〇年以上昔の話だ。当時、人気絶頂だった少年向け週刊漫画『少年マガジン』の巻頭特集に太平洋戦争が取り上げられ、あるページの見出しに「アッツ島玉砕」とあった。「アッツ」の短音が心に響き、「玉砕」の意味を父親に尋ねたのを覚えている。

アラスカからシベリアのカムチャッカ半島まで連なって伸びる、アリューシャン列島と呼ばれる島々がある。人間の考えた日付変更線など意に介さずに、太平洋の北辺をまるで真珠のネックレスのように飾っているが、その連なりの西端にアッツ島はある。さらに、カムチャッカから北海道へ繋がる千島列島があり、つまりアラスカと日本は、カムチャッカ半島をセンターに介し、アリューシャン・千島という二連の列島によって結び付けられているのだ。海と島を素材にして地球上に描かれた地理的文様の中で、これは際立って美しい。近くまで来たのだ。せっかくだから行ってみよう、憧れのアリューシャンへ。

調べてみると、現地ではアトゥーと発音するアッツ島はアメリカ軍の要塞と化しているようで、考えてみれば対ロシアの最前線である。そこで、アリューシャンの島々のうち、一般人が入れる最も開けたウナラスカ島に目的地を変更した。島唯一の町ダッチハーバーが、七五年前に旧日本軍のゼロ戦によって爆撃されたアメリカ本国で唯一の場所であること（ハワイはまだ正式な州ではなかった）を知ったのは、迂闊にも出発一週間前だった。

アリューシャンは、私のような呑気な日本人が足を踏み入れていい場所なんだろうか。出発が近づくにつれ、「憧れ」より「気がかり」が大きくなってきた。濃霧による欠航が三日続いた上、朝一だったはずの出発も昼近くだった。地元の人・ビジネスマン・釣り人らを乗せた小型機はデナリの山群を後にすると、白い雲の上を黙々と進む。二時間後、午後の陽を斜めに受けて、キラキラ光る青黒い海面に浮かぶアリューシャンの島々が見えてきた。どの島も、おそろいの白雲の帽子をかぶっていた。「なぜ来たのか？」と問われたら、「日本人がやったことを、同じ日本人として、この目で確かめに来た」とでも答えるしかないだろう。

空港に降り立つと、ダッチハーバーは、彼の地にしては珍しい爽やかな夏の日差しで旅人を迎え入れてくれた。先ほどまで心の片隅でもやもやしていたものは、きれいさっぱり洗い流された。

到着したその日に「戦争記念館」を訪れた。入り口のドアをくぐり受付の年配の女性に見学の意を伝えると、「どうぞ、ごゆっくり」といたって普通に遇された。見学者は私一人で、展示品は「いつ、どこで、何が起こったのか」を客観的に示していた。ゼロ戦の部品や、日本軍が使っていた武器や生活具なども展示されていたが、ワシントンの戦争記念館などに比して、努めて冷静に過去の歴史を振り返り現在に繋ぎ止めようとしていると感じられた。

帰り際、受付の女性から分厚い冊子を進呈された。戦争の記録というより、アリューシャンに生まれ育った人々の暮らしを中心にまとめたものだった。Thank you so much. と礼を述べて、表紙に来館記念のスタンプを押した。そっとスタンプを上げてみたら、上下逆さの文字が下から現れた。受付の女性と思わず声を上げて笑ってしまった。

町では日本企業と思われる会社名をたびたび目にした。土地の事情通に話を聞くと、アリューシャンの漁業は日本の水産大手の会社が支えているとのことだ。港湾設備だけでなく道路や橋などのインフラ建設は、日本の水産会社が地元にもたらす利益で賄われているらしいし、恒例のダッチハーバー祭も、日本企業の協賛金によって成り立っているとのことだった。

次の日、間近でクジラを観たいと思い、小型漁船に乗せてもらった。目の前でクジラが潮吹きを繰り返している。見えるのは体の一部だが、大きさが十分に伝わってくる。ブフォッという、声と音の中間のようなものが聞こえる。クジラは特殊な鳴き声で仲間に情報を伝達すると聞いたことがあるが、それともまた違うようだ。あちらでブフォッ、こちらでもブフォッ。クジラはのびのびとやりたいようにやっている。時折、半身を海面上に突き上げ、と同時にグッと身を屈めて海中に潜りつつ、最後に尾びれを立てて真下に没する。二頭でこれをやるのまで現れて、動きが見事に同調している。効率的に捕食するための行動だろうが、仲間同士でシンクロダイブを楽しんでいるようにさえ見える。「大きさ」ゆえに、クジラは全ての哺乳類の中で特別な存在とされているようだが、それに止まらず、人間には理解できない「彼ら独自の世界」、それを「精神的なもの」と言えるかどうかは分からないが、それに近いものがあるのではないか。眼前の楽しげな様子は、そんな想像をかき立てるのだった。

入り江の奥まで、船を進めてもらった。びっしりと緑に覆われた斜面下の浅瀬に、赤錆びた難破船があった。ハワイのパールハーバー奇襲の半年後に決行されたダッチハーバー攻撃で沈没させられた船だ。ダッチハーバーの湾の最奥、錆びて折れ曲がり朽ち果てた船体が、七五年という時の経過と往時の攻撃のすさまじさを同時に伝えている。なぜ、当時のままの姿で放置してあるんだろう。船のエンジンを切ってもらい、私は戦争の生き証人の姿をカメラに収めた。エンジンを再びスタートさせ、船着き場に向けてUターンする時、難破船の船縁に止まっていた白頭鷲が、バサバサと音を立てて飛び去った。

最後の二日間は、ダッチハーバーから縦横に伸びるトレイルを、一人でのんびり歩き回った。高木の無い草ばかりの緩斜面を割って、一筋の沢が流れていた。沢筋に沿ってしばらく進むと、沢の規模の割には大きく落差のある滝が見えてきた。

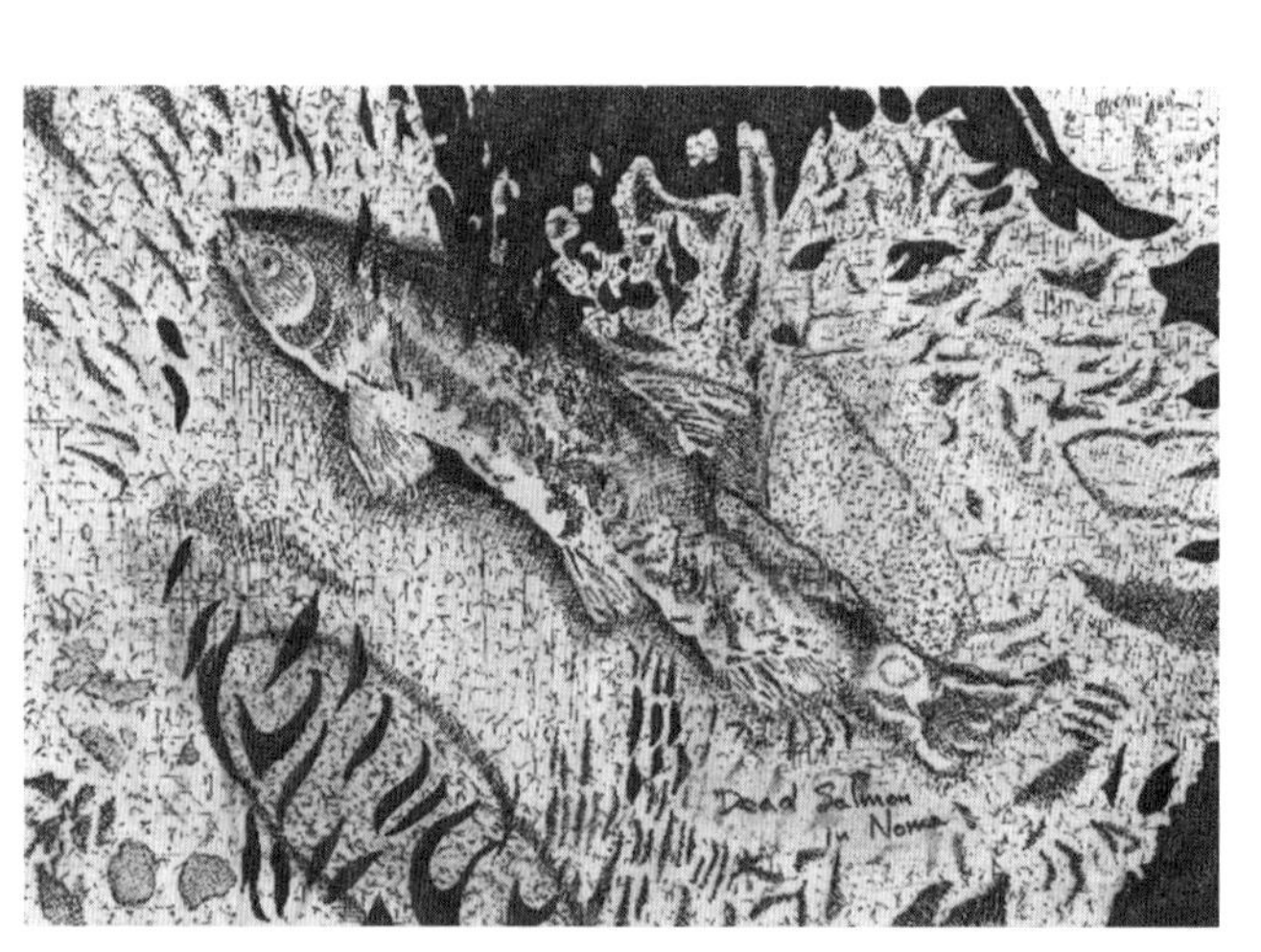

サーモンは北国の生き物たちを育む食物連鎖の要だ。

そして、滝の手前の浅瀬には、数え切れないほどのサーモンが、体をぶつけ合いながら水面を派手に揺らしていた。クマがいないことが人にも生き物たちにも、これほどまでに直接的な影響を与えるものなのか。原始の匂いがむんむんするアリューシャンの自然を、私は日の暮れるまで堪能した。

戦争の爪痕、日本企業による経済的繁栄、無垢の自然。一見、相反するこれら三つが不思議なバランスで併存している、それが戦後七五年を経過したアリューシャン・ウナラスカ島の今の姿だった。

㉒ファーストネーション

イヌビクのスーパーの入り口で、突然イヌイットのオバハンに声をかけられた。

「あんたは私の従兄弟とそっくりだよ。なんて名前なの？」

「日本から来たキヨシ・イノウエというケチな野郎でござんす」

「ありゃ、あんた、ミドルネーム無いんだね。じゃ、私がつけてあげる。えーと、えーと、うん、ミドルネームは Denny がいいね。あんたにぴったりだよ」


イヌイットの人たちがどんな生活をしているか、差別のようなものはあるのか。それを実際に見て確かめるのも、この旅の目的だった。イヌイットの人たちが白人に混じって働く姿を思い出そうとしているが、あまり浮かんでこない。船着き場ではイヌイットの人たちをよく見かけたが、道路工事はなぜかほとんどが白人だった。スーパーの店員などは、イヌイットよりもアジア系の人たちの方が目についた。他に彼らが働く場所は……、と記憶を辿っても、出てこない。つまり、恐らくではあるのだけれど、彼らイヌイットは、私のような旅人の目に触れる場所では働いていない、または、そもそもあまり働いていないのではないか、そんな思いに行き着いた。でも例外があって、それはイヌイットの人たちにしかできない、または彼らがやった方がしっくりする仕事、つまりイヌイットの人たちが作った手工芸品を売る店や、彼らの伝統的なダンスを披露する劇場での仕事などだ。

不思議なのは、例えばイヌイットの人が作ったキーホルダーが二五ドルで売られていて、普通の土産物に比べて割高なことだ。もしかしたらイヌイットの工芸品販売組合のような組織があって値段を高めに設定しているのではないか、そんな「下衆の勘繰り」をしたくなる価格だ。「イヌイット工芸品の訓練センター」みたいのを見かけた。一般の人向けのものでなく、イヌイットの人たちが伝統工芸の技術を身につけるためのようであった。いずれも私の個人的な体験・印象・憶測であり、また取材不足で正確かつ突っ込んだ説明ができないのだが、なんとか彼らにも経済的に自立してもらいたいと、社会全体が望み支えているのではないだろうかという印象が残った。

イヌイットがアラスカに住み着いたのは今から何千年以上も昔のことで、一方、白人が定住し始めたのはせいぜい数百年前程度だろう。白人はイヌイットが住んでいた土地に後から乗り込んで来て、イヌイットを追っ払った。強い者が弱い者を駆逐した。しかし、その後の強者側の振る舞いを見ると、弱者に対して手を差し伸べようとしているように感じられる。一方、イヌイットの人たちは、白人の手を払うでもなく、かといってありがたく受け入れるでもなく……、通りすがりの私には、そこまで想像するので精一杯だった。

エスキモーは蔑称でイヌイットと呼ぶべきなのか。過ぎた生活保護が彼らの労働意欲を削いでいるのか。ツンドラの荒野に放置されている多くの四輪バギーは何を意味しているのか。一介の旅行者は、答えの何倍もの疑問を抱え込むばかりだ。

イヌイットのオバハンに声をかけられたスーパーのフードコートで昼ご飯を食べた。周りはイヌイットおよびその混血の人たちばかりだった。モンゴロイドの血の色濃い人、白人に近い顔立ちの人、まるで日本人という人もいた。古びたスーパーのフードコートは、東西の血のミクスチャーの見本市さながらだ。太古の時代にベーリンジアを渡り、その後、数万年の歳月をかけて撹拌された結果が、今、目の前に展開されている。彼らにはちょっと申し訳無いが、どんな立派な歴史博物館よりも余程興味深い。

そんなことを考えながら二時間ほどぼーっとしていたら、隅っこの椅子に一人で座るイヌイットの若い男に、他の人たちが食べ物をあげているのに気づいた。彼は身なりが一際

ツンドラの荒野に乗り捨てられた四輪バギー。修理して大切に使うという考えがないとは思えないが。

みすぼらしく、ホームレスなのかもしれない。私のテーブルには、満腹で食べきれないフライドチキンが手つかずのまま一個残っていた。彼らの流儀に従えば、私はこの冷めたチキンを彼に差し出すべきだろう。でも、彼のテーブルまで行って食べ物を恵むという行為が、途方もなく遠く重いように感じられた。近くのイヌイットの人に「どうしたらいい？」と尋ねてみようか。いや、そんなことをして、仮に「勿論、あんたはチキンを彼にあげるべきだよ。そんなの当たり前だよ」と言われても、その通りにできない自分が容易に想像できる。長い間考え、随分と迷った挙句、チキンの残りカスと手つかずのチキンを箱に戻し、私は席を立った。出口の近く、若いイヌイットからは見えない位置に大きなゴミ箱があった。例のチキンの箱をゴミ箱に捨て、私はそそくさと店の外に出た。なんでそんな行動を選んだのか、外国では当たり前にやっている「食べ残しの持ち帰り」をなぜしなかったのか、その理由が思い出せないのだが。

㉓「ナントカシナイト」をなんとかしたい

フランク安田が心血を注いだ交易所は、あと何年この姿をとどめていられるのだろうか。

フランク安田の交易所がビーバー村にいまだ残っているのは驚きだったが、崩れかけても懸命に踏ん張る姿が発する呪文に絡め取られたかのように、私に一つの思いが焼き付けられた。フランク安田の成したことを歴史の闇に埋もれさせないために、日本の若者にフランク安田の生き様を知らせるために、あの交易所を「ナントカシナイト」。

二泊三日の短い時間だったが、私はビーバー滞在中、村のあちこちを歩き回った。家々の入り口にはヘラジカやカリブーの角が飾られ、ウン十年前に活躍したに違いない機械類があちこちで錆だらけの姿を晒している。ユーコン川で捕ったサーモンを捌き燻製にするスモークハウス、キリスト教会、診療所らしき建物などが散見され、学校とトイレ付きランドリーにだけはいつも人の姿が認められた。商店は見当たらず、郵便局と派出所は休業中のようだ。村内に舗装路は無く、村人は四輪バギーを日常の足として使っている。元々人口は少ないにしても、通りに人影が無いのはなんでだろう。人が働いているのをとんと目にしない。一体、村人はどんな仕事をしているのか。どうやって現金を得ているのだろう。一〇〇万円はする四輪バギーをどのようにして手に入れるのだろう。日常の買い物はどうしているのか。事件や事故は起こらないのか。

校庭でテントを張っていると、ぽつりぽつりと子供がやって来て、ブランコをしたり、サッカーごっこをしたり、ひとしきり遊んで帰って行く。目が合えば、私は「やあ」と片手を挙げて挨拶するが、子供たちの反応がどうもはっきりしない。言葉の問題なのか。私はイヌビクでイヌイットと間違われたくらいだから、見た目は彼らにとってそんなに目障りじゃないはずだ。でも、テントがあるから、「あ、やっぱ、外の人間だ」と思って距離を置いているのだろうか。交易所の近くでツーショットを撮った女の子も来たけれど、なんだかよそよそしい。もしかしたら歓迎されてないのかもしれない。なんとなく、そんなことを考えてしまった。

四輪バギーのオヤジさんがすれ違いざま、「乗らないか」と声をかけてくれた。村人の方から話しかけてくるなんてまず無い。勿論、乗った。乗ったはいいが、凸凹道を結構なスピードで飛ばすしサスペンションはカチコチだから、ロデオで暴れ馬にしがみついているみたいなことになった。「よかったら家に来ないか」とも言ってくれて、もうちょっとロデオを続ける羽目になった。家に生活必需品は一通り揃っていたが、何年も掃除をしていないような乱雑ぶりだ。コーヒーとサーモンの燻製でもてなしてくれ、昼食代わりにありがたく頂いた。オヤジさん、私を家に招いたのはいいが、どう対応していいか分からず困っているのか、恥ずかしいのか、ほとんど会話が無い。私も村全体から一人だけ浮いているのを朝から感じていて、無理に馴れ馴れしくするより、今はこの距離感の正体を突き止めたい。一時間後、何のヒントも見つからないまま、「ありがとう。美味しかったよ」と言って私は家を出た。道路脇に家庭菜園のような小さな畑があって、野菜を栽培していた。フランク安田は野菜作りにも挑戦したというから、あの野菜畑は例の交易所と同様、フランク安田の遺産だったのかもしれない。

新田次郎は『アラスカ物語』の「アラスカ取材紀行」の中で、「……フランクの墓場で感じたあの物悲しさはしばらくの間私を支配し、そこから抜け出すことはできなかった」と記している。私が参ったときも、二人の墓標はぼうぼうの草むらの中に完全に没していて、新田の得た印象を彷彿とさせた。新田はまたその心象に「憂鬱」という言葉も使っているが、それは墓そのものに対してではなく、墓が荒れ果ててしまった理由に対してのやりきれなさであり、文化の相違に対する無力だったのではないだろうか。私は墓の周りだけ簡単に草刈りをし、壊れかけた献金箱の形を整えた。墓標の足元に現れたブロンズ製の富士山のレリーフは、日本人がすぐに思い浮かべるような優美なそれではなく、丸みを帯びた太い褶曲によって描かれた力強い姿だった。墓守のいない墓はすぐにまた草むらの中に姿を隠してしまうに違いないが、フランク安田とその妻ネビロ、肩を寄せ合うように立つ二つの墓標を見ると、波乱の人生を力の限り生きた二人に、この墓の姿はあながち的外れとも思えない。常人には想像できない艱難辛苦を、二人は手に手を取って突き進んできた。自然の脅威、人種間の対立、差別だけでなく、二人の間にもあったであろう「生まれ育った文化の違い」、そういったものも、二人は相互に理解し信じ合うことで乗り越えてきたに違いない。日本人の考える「大きな仕事をした人の墓」のイメージと対極にあるような墓の佇まいは、二人の生き方そのものを、今も我々に伝えているのではないだろうか。
一方、どうしても心に引っかかるのは、崩れかけたあの交易所だ。墓を「人生を闘い抜いた後の休み場」であるとすると、交易所は「フランクが自らの運命と闘った主戦場」と言えるのではないか。フランク安田としてはやれることを全てやったのだから、この世に未練は無いかもしれない。でも、私は、フランクの為したことが歴史の闇に消えてしまっては本当に勿体無いと思うし、「消えないでくれ」と願わずにおられない。そのために、あの建物をなんとか保全して、フランク安田の偉業を若い人たちに伝えるモニュメントにしたい。後世につなげるために、それは最も良い方法ではないだろうか。どこをどうすれば、交易所保全がより具体性をもった目標になるのか。私一人では到底実現できるものでないだろうから、だれか協力してくれる人はいないか。どこに連絡すればいいのか。だれに相談すればいいのか。ナントカシナイトの呪文は、私に様々な疑問を投げかける。答えは自分で「なんとかしろ」と言いながら。

アラスカの旅を大方終え、私は今、シアトルに向かっている。インサイドパッセージと呼ばれる、アラスカ南岸の多島海を縫うように走る航路をフェリーで南下している。スプルースの森に覆われた大小数え切れないほどの島々に挟まれた海には適度な間隔で色鮮やかなグリーンのブイが浮かび、船は鏡のような水面に白い帯を残してその間をすり抜けていく。後ろに過ぎ行く島影と時の流れが同調しているかのように感じられて、何とも心地よい。

一ヶ月後、私は日本にいるはずだ。ナントカシナイトの呪文は相変わらず聞こえ続け、帰国したら具体的にアクションを起こすしかないと、私は心を固めつつあった。社会運動とかボランティア活動などには全く無縁かつ興味の無い人間だったが、乗りかかった船、いや、まんまと乗せられてしまった船かもしれないが、できる限りのことはやってみよう、そんな気持ちになってきた。具体的には、

・石巻市の「フランク安田 友の会（後援会）」に連絡する
・フランク安田やビーバーに関係のある人やグループに連絡する
・クラウドファンディングのようなやり方で、交易所保全の資金を集める。建物の恒久的な立て直しは当面は無理だろうから、とりあえず交易所が潰れないようにするのを目標にする。
・お金が絡んでくるので、世間から信頼される体制、明朗会計化等のために、基金の賛

同者になってくれる人や組織を探す

ここら辺りまで考えてふと目を上げたら、フェリーの残した白波のはるか彼方に新雪をまとった高山が見えてきた。淡い茜に染まった黄昏の空は、アラスカが「さよなら」を言っているようにも、「また来いよ」と誘っているようにも感じられた。

あとがき

本書はカナダ・ビクトリアでの留学生活、そしてその後のユーコン・アラスカの旅の様子を、私が経営していた塾の教え子たちに「最後の授業」として、現地からリアルタイムでレポートするブログ『おやじは荒野をめざす』が大元になっている。それをコロナの自粛期間中に読み直していたら、同名のオリジナル本が出来上がった。完全ハンドメイドで五〇冊ほどを友人・知人に配り、そうこうしているうち、ちゃんと出版したらと勧められ、文芸社さんのお力を借りて、『リタイア、そしてアラスカ』として結実したものである。

なぜアラスカなのか。よく考えてみると、何かに引っ張られ、方向づけられている気がしないでもない。塾のサマーキャンプでお世話になった牧場のM氏から何回か、若かりし頃のアラスカ放浪の話を聞かされた。英語再挑戦の場をカナダと決めた後で地図を見たら、「なーんだ、アラスカはカナダの隣じゃないか」と気づき、当時、たまたま読んでいた本がユーコン川をカヌーで漕ぎ下る話だった。「M氏」と「カナダの隣」と「ユーコン川」、バラバラだった三つが合体して、いつしか、私の心の中にアラスカに向けての大きな矢印ができあがっていた。

たまたま出くわした英会話学校ＳＳＬＣではジュンコさんとバーニーに出会えた。エドやキャリアナ、そしてアレンじいさんと知り合ったのも全くの偶然だ。チェナリバーで話しかけてきたランスがロン・イノウエ氏を紹介してくれ、多分ランスがロンになんとなく話したのだと思うが、私がフランク安田の墓参りに行ったのがロンを介して赤祖父先生に伝わり、赤祖父先生にお目にかかることができた。

旅は最初の内、風に吹かれて気の向くままの呑気なものだった。しかし、ずっと風任せだったのかというと、ちょっと違う。旅の途中で誰かと出会い、そのことで何かと繋がり、目の前に新たな道が開けてそこを進んできた。何かに導かれてここまで来た。

アラスカに生涯をかけた写真家・星野道夫の言葉に、「もし人生を、あのとき、あのとき……とたどっていったなら、合わせ鏡に映った自分の姿を見るように、かぎりなく無数の偶然が続いてゆくだけである（原文のまま）」があるが、どの「偶然」に反応したかは、「たまたま」の問題だけではなさそうだ。カナダからアラスカの地の果てまで、いや、塾を閉じた時、いやいやさらに前のチョウチョに夢中になっていた少年時代からの無数の偶然が、反応の取捨によって地下水脈のように何かと繋がり、はじけ、化学反応を起こして、今、こうして自分があるのではないかと、ふと考えてしまう。

ビクトリアでお世話になった先生のバーニーがSSLCの修了式で贈ってくれたメッセージ、「人生はいつからだって始められる」は、当時は「そんなものか」くらいにしか思っていなかったが、気がつけばすっかりその気になって、私は今、精一杯の毎日を送っている。

元来、怠け者でネガティブ、飽きっぽい自分であるが、どうした加減か、私がやらかしてきたことが一冊の本に昇華できたことは望外の喜びであり、ここに至るまで、私に様々なことを教え、助け、支えてくれた——先輩や友人、トライの子供たちと若い先生たち、カナダやアラスカで出会った方々、そして、我が家族には感謝あるのみである。また、わがままな私に辛抱強く最後までお付き合いいただいた文芸社の優秀かつ誠実なスタッフにも、深く頭を垂れる次第である。

日本文化のために、

フランク安田の交易所を補修して

後世に残しましょう。

フランク安田が営んでいた「交易所」を補修するため、私たちはクラウドファンディングなどで基金を募ります。目標額は200万円です。本書を読み、交易所保全の意義に賛同いただいた方に是非ご協力いただければと考えております。詳細につきましては、下記へ直接ご連絡いただくか、「フランク安田交易所保全基金」HPをご覧下さい。

フランク安田交易所保全基金事務局
責任者　井上　きよし
〒192-0373　東京都八王子市上柚木1122-8
電　話　042-677-0994
メール　ilovewell@kni.biglobe.ne.jp

お問い合わせは上記まで遠慮なくお願いいたします。

著者プロフィール

井上 きよし（いのうえ きよし）

1952年東京都生まれ、法政大学経済学部卒。印刷・出版の㈱東京美術、塾経営・出版の㈱東京標準を経て、「明るく・のびのび・ザックバラン」を謳って「地域に密着した学習指導—トライ」を30年間経営。リタイア後、カナダで英語の勉強に再挑戦し、その後、アラスカを一人旅する。介護職を短期間経験した後、著述活動を本格的に開始。専門はチョウを中心とした自然科学、相続や親子などの家族問題、介護問題、青春の諸問題、教育問題など、異色の経歴を生かしたユニークなジャンル。

リタイア、そしてアラスカ

2021年10月15日　初版第１刷発行

著　者　井上 きよし
発行者　瓜谷 綱延
発行所　株式会社文芸社
〒160-0022　東京都新宿区新宿1－10－1
電話　03-5369-3060（代表）
03-5369-2299（販売）

印刷所　図書印刷株式会社

ISBN978-4-286-22520-3　JASRAC 出2104717－101

NORTHWEST TERRITORIES
Mackenzie River
Mackenzie Mountains
CANADA
ALBERTA
Alaska Highway
Whitehorse
Skagway
Haines
Juneau
Sitka
BRITISH COLUMBIA
Prince George
Stewart
Prince Rupert
Dutch Harbor
Fox Islands
Haida Gwaii
Denny Islands
Bella Bella
Campbell River
Whistler
Port Hardy
Vancouver
Victoria
Seattle
Mt. Olympus
Vancouver Island
Great Bear Rainforest
AMERICA
CIFIC OCEAN
Same Latitude